名探偵コナン

赤井一家(ファミリー)セレクション　緋色の推理記録(コレクション)

酒井 匙／著　青山剛昌／原作・イラスト

★小学館ジュニア文庫★

太閤恋する名人戦

DETECTIVE CONAN

AKAI FAMILY SELECTION

山梨県にある時和ホテルは、古くから続く格式の高いホテルだ。美しく整えられた日本庭園には、時折カッコンとししおどしの音が響く。

本館にある和室では羽田秀吉が、羽織袴を着込んで対局に臨む準備をしていた。

シュッと襟元を整えたら、準備完了だ。

「太閤名人、そろそろ…」

襖が開き、仲居が顔を出した。秀吉を呼びに来たらしい。

「その呼び名はよしてください…。名人位は、これから獲りに行くんですから…」

秀吉は腕組みをして、謙虚に答えた。しかし襟足の髪が寝癖でピンと跳ねているので、いまひとつキマらない。

羽田秀吉は、将棋のプロ棋士。名前が豊臣秀吉の前の名である羽柴秀吉に似ていることから世間では「太閤名人」とも呼ばれ、将棋ファンはもちろん、一般人にも高い知名度を獲得している人気棋士だ。

二十八という年齢のわりにはどこかあどけなくも見える秀吉だが、ひとたび対局に臨めばその雰囲気は一変する。勝ち筋を探す真剣な表情と、盤面を見つめる凛々しいまなざし。

※本作は2014年に「週刊少年サンデー」に連載されたものをノベライズしたものです。将棋のルールなどは、連載当時のもので、現在のルールとは異なる場合があります。

羽織の袂をおさえて駒を動かす所作は威厳に満ち、貫禄すら感じさせる。解説やインタビューでの受け答えは、物腰柔らかで礼儀正しいと評判だ。しかしプライベートではもっぱら丸メガネにジャージを着用し、ラーメンばかり食べているずぼらで子供っぽい一面もあった。

秀吉は身支度を終え、廊下に出た。襟足の寝癖にはまったく気づいていないようだ。向かうは、将棋のタイトル戦の一つである「名人戦」。秀吉は、全部で七つあるタイトルのうちの六つをすでに獲得しており、今日これから行われる名人戦の最終局に勝利すれば、すべてのタイトルを獲得した「七冠王」となるのだ。

「でも、世間的に太閤名人で定着しちゃってるし♡」

「他の6つのタイトル全てを獲って、六冠王じゃないですか！」

付き添いの若い二人の仲居たちは、キャッキャとはしゃいで浮かれている。

しかし秀吉は、クールに言った。

「いえいえ、油断は禁物…。僕の2連勝から名人に逆転されて、なんとか3勝3敗のタイに持ち込みましたけど…昨日の最終局の1日目も名人の猛攻を凌ぐので精一杯で…」

秀吉が謙遜してみせても、仲居たちの興奮は収まらない。

「でも昨夜、解説の人が言ってましたよ！　受け切った羽田六冠が優勢だって！」

「名人は封じ手にかなり悩んでる様だったし！」

封じ手とは、日をまたぐ対局の時に、最後の一手を指さずに用紙に記入して封筒に入れ、封をしたもの。翌日の対局では、この封筒を開けて記入した手を指して続行する。最後の一手を普通に指してから対局を翌日に持ち越すと、指された方は次の手について翌日まで考える時間ができてしまうため、封じ手を使うことで不公平さをなくしているのだ。

仲居たちに言われ、秀吉はつい、「ホ、ホントに？」と喜んでしまった。気がゆるんだ隙に、懐に入れておいた写真が、ヒラッと床に落ちてしまう。

「あ！」

秀吉は慌てて写真を拾い上げた。

そこには、警視庁交通課の宮本由美が写っている。

「あら、写真♡」

「彼女？」

仲居たちにめざとく見つけられ、秀吉は「え…ええ、まあ…」とあいまいにうなずいた。

「……」

写真の中でピースサインをする由美の笑顔を見つめ、秀吉は、心の中で切なく呼びかけた。

(由美タン…)

二日前。秀吉は、由美とカフェで待ち合わせた。

以前、秀吉は「7つ揃うまで開けないでください」と意味深なことを言って、由美に一通の封筒を渡したことがあった。それをまだ持っているかと秀吉が尋ねると、由美はあっさりと言った。

「ああ…あの変な封筒？　どっかに行っちゃったわよ！　あの後チュウ吉ちっとも連絡くれなかったから…」

「え〜〜〜っ!?」

秀吉は目をむいて驚いた。あの時渡した封筒の中には、とても大事なものが入っていたのだ。

「その封筒を渡した時に言ったよね？　7つ揃うまで開けないでくださいって…」

「ええ…だから開けずにポイっと…」

「ちゃんと持っててくれって意味も込めてたのに〜〜〜!!」

秀吉はかなりガッカリしているようだったが、由美は気にせず「で？」と頬杖をついた。

「この美人警察官由美様を非番の日に呼び出して、一体何の用なの？」

「あ、実はその7つがもうすぐ揃いそうだから…ちゃんと封筒を持ってるかどうかの確認を…」

秀吉がおどおどと答えると、由美はじとっと秀吉をにらんだ。

「……それだけ？」

「え、ええ…まぁ…」

秀吉は（今は…）と、内心でつぶやく。

しかし秀吉の真意を知らない由美は、

「帰る!!!」

と宣言し、本当に店を出ていってしまった。

「あ、由美タン!! ちょっと待っ…」

慌てて追いかけようと立ち上がった秀吉だが、「あれ？ もしかして太閤名人？」と、カフェにいた客に呼び止められてしまう。

秀吉は人差し指を立て、「し〜〜っ、し〜〜っ…」と声をひそめた。プロ棋士だということは、由美には内緒にしているのだ。ファンに声をかけられたところを、由美に見られるのはマズい。

「私、あなたの大ファンなんです！ よかったらサインを…」

声をかけてきたファンは、家族連れの中年男性だった。大急ぎでサインをし慌ててカフェを出た時には、すでに由美の姿はなかった。

「あ、あれ？ 由美タン？」

秀吉はきょろきょろとあたりを見回したが、由美は見つからなかった。

……と、そんな秀吉の姿を、何者かが車の中から見つめていた。

（さぁ、手合わせ願おうか…。羽田秀吉…）

その人間は、よからぬことをたくらんでいるかのように唇の端をゆがめ、ニヤリとほくそ笑んだ。


羽田秀吉が名人戦に挑もうとしていた、そのころ。

江戸川コナンは阿笠博士の運転するビートルに乗っていた。少年探偵団の吉田歩美、円谷光彦、小嶋元太、そして灰原哀も一緒だ。

「そろそろだな…」

後部座席にいるコナンがふいにつぶやくと、左隣に座っている光彦と歩美が、

「そろそろって？」

「何が？」

と順番に聞いた。

「ホラ、オメーらも一度会っただろ？　太閤名人、羽田秀吉の名人戦だよ！　まぁ、今は

名人位だけ持ってないみたいだけどな！」

コナンが答えると、運転席の阿笠博士が、

「ホー、じゃあ六冠王か！」

と声を弾ませた。

「それ、野球の三冠王みたいなもんか？」

「ああ！　今日、名人位獲り戻したら七冠王！　史上２人目の大快挙だよ！」

助手席にいる元太の質問にコナンが答えると、光彦と歩美が期待に満ちた表情で聞いた。

「もしかして前に由美さんが言ってた７つって…」

「その事だったの？」

「ああ、多分な…」

コナンがうなずく。少年探偵団たちは、以前とある事件で由美と居合わせて、秀吉からもらったという封筒について聞かされたことがあった。秀吉が『７つ揃うまで開けないでください』と話していたのは、将棋のタイトルのことだったのだろう。

「じゃあ７つ揃うって事は、封筒の中身わかっちゃいますね！」

「何が入ってたんだろ？」

「まぁベタなのは…婚姻届…でしょうけど…」

コナンの右隣に座る灰原が言うと、光彦と歩美は表情を一気に明るくした。

「じゃあ由美さん、結婚しちゃうんですか？」

「すごい、すごーい♡」

「いや、まだそうと決まったわけじゃ…」

勝手に盛り上がる光彦と歩美に、コナンが苦笑いする。その時コナンのポケットの中で、携帯電話がブー、ブーと着信した。

「はいもしもし…」

『よォ、コナン君！　元気してるか？』

電話から聞こえてきたのは、世良真純の声だった。世良は帝丹高校に通う高校生探偵で、毛利蘭や鈴木園子のクラスメイト。ボーイッシュな外見に加え自分のことを「ボク」と呼び、また言葉遣いも男っぽいため、初対面では男性と間違えられることが多い。運動神経抜群で高校生ながらオートバイも乗りこなすという、かなりイケメンな女子高生だ。

「せ、世良……の姉ちゃん⁉　ど、どうしたの？」

『今、また新しいホテルに移ったからさー…遊びに来ないかなーって思ってさ…』

世良は未成年ながら、ホテル暮らしをしているのだった。蘭やコナンたちには一人暮らしだと説明をしているが、実は茶髪の少女と同居をしている。

『ホテル杯戸プライド！　探偵事務所から割と近いよ…』

せっかくの誘いだが、コナンは「無理…」とすげなく断った。

「今、車で移動中だから…」

『え？　何か事件あったのか？』

「いや…みんなでパワースポット巡りだよ…」

そう、今日は少年探偵団たちと、都内の有名なパワースポットを訪ねることになっているのだ。最初に向かうのは、有名な神社の敷地内のようだ。


一方、時和ホテルでは名人戦の二日目が今まさに始まろうとしていた。

挑戦者である秀吉が、対局場に足を踏み入れようとすると、

「太閤名人！　太閤名人!!」

と、仲居が慌てた様子で、秀吉に声をかけてきた。

「太閤名人ってば!!」

「だから…今、僕は名人ではありませんし…」

対局前の集中力を乱され、秀吉は苦笑いした。

「後にしてもらえます？　もう対局が始まりますので…」

「でも、2日目の対局再開直前に渡してくれって…」

そう言って、仲居は秀吉に一通の封筒を差し出した。

「手紙…ですか？」

「昨日の朝方、妙な男の人が持って来たんです…。送り主の名前を見せれば、受け取ってくれるって…」

「ん？」

封筒を裏返すと、そこには「宮本由美」と書かれている。

(ゆ、由美タンから？)

秀吉はとたんにうれしくなって、いそいそと封を切った。

(でも何で手紙を…？)

疑問に思いつつ、中の便せんを取り出す。書かれた文章に目を通すと、

「!?」

秀吉は目を見開いた。

ほどなく対局の時間になり、秀吉は将棋盤をはさんで勝又力名人と向かい合った。

「封じ手を開封します…」

立会人が、重々しく封筒を開く。

「封じ手は…5六銀！」

名人が、パチンと銀を進めた。

対局場で見守っていた報道陣が、いっせいにパシャパシャとフラッシュをたいて、撮影

した。名人の一手——5六銀に対して、挑戦者である秀吉はいったいどんな手を指してくるのだろうか。

注目が集まる中、秀吉はスッと立ち上がった。

「長考します！」

そう言うなり会場を出てしまった。長考とは、次の一手を長い時間考えること。数時間に及ぶこともあり、相手や自分が長考している間に対局の場から離れることも許されている。

二日目がまだ始まったばかりだというのに、いきなり長考とはどうしたことか。会場中の人々がざわつく中、秀吉は会場を後にすると、ホテルを出て停まっていたタクシーに乗り込んだ。

「は、羽田六冠!!」

「ど、どこへ？」

対局中にどこへ行く気かと、スタッフが慌てて飛んでくる。

タクシーのドアが閉まると、秀吉は、

「東京まで……」

と運転手に告げた。なんと、山梨を離れ東京まで行く気らしい。

「え？　えええええ⁉」

度肝を抜かれたスタッフたちを残し、タクシーは走り出してしまった。

秀吉は車内で、対局前に仲居から手渡された手紙を改めて読み返した。

お前の女は我が手中に在り。
助けたくば我が棋譜を読み解いて参られよ。
お前の持ち時間が尽きるまで待つ。
他言無用。警察は禁じ手とする。
首無し棋士

便せんの一枚目には、筆文字風の書体でそう印字されていた。

首無し棋士、とはなんともおどろおどろしい名前だ。『お前の女は我が手中に在り』ということは、由美が捕まっているのだろうか。
秀吉は緊迫した表情で、二枚目の便せんに目を通した。そこには、暗号めいた文章がつづられている。

第一局
七つの神社の内の一つが、盗賊に襲われ
宝物殿が二日で空になり、井戸に身を
潜めていた神主の娘も連れ去られた。

写真同封

写真同封、と書かれている通り、封筒の中には、一枚の写真も入っていた。
ソファーの上のような場所に寝かされた由美の写真だ。ロープで縛られ、口には粘着テープが貼られている。

(ゆ、由美さん…)

写真を持つ秀吉の手が震えた。

由美は、「首無し棋士」にとらえられ、どこかに監禁されているらしい。

「お前の持ち時間が尽きるまで待つ」と書かれていたのは、秀吉の持ち時間のことだろう。

名人戦では、二日合わせて九時間の持ち時間が対局者双方に与えられている。

(1日目で僕が使った時間は4時間2分…。昼食休憩の1時間を加えれば…残り6時間足らず!)

それまでに由美を助けることができなければ、首無し棋士が由美に何をするかわからない。秀吉はギュッと目を閉じて、唇を結んだ。

(いつも待たせてすみません…。でも必ず…必ず迎えに行きますから…待っててください!!)

奪還を決意した秀吉の脳裏には、いつもの由美の笑顔が浮かんでいた。

第一局の暗号を読み解き、秀吉がやってきたのは、東京にある神社だった。

（場所はここで合ってるはずなんだけど…どこなんだ？　問題の井戸は…）

ハアハアと息を切らして、あたりを見回す。山梨から東京に来るまでの間に、すでにかなりの時間を使ってしまっていた。

（残りあと…4時間10分…。それまでに問題の井戸を…探し出さないと…）

焦る秀吉に、声をかけてきた子供がいた。

「あれ？　太閤名人…」

はっと顔を向けると、江戸川コナンが少年探偵団と阿笠博士とともに立っている。秀吉は以前、とある事件を通じて彼らと知り合っていた。

「き、君は…」

「どうしたの？　今日って名人戦だよね？」

なぜ秀吉が東京にいるのかと、コナンは驚いているようだ。

「あ、いや…実は…」

つい正直に説明しそうになり、秀吉はハッと口をつぐんだ。首無し棋士からの手紙に、

『他言無用』と書かれていたのを思い出したのだ。

「ちょ、ちょっと気分転換で…」

秀吉がごまかそうとすると、阿笠博士が驚いた顔になった。

「ちょっとって…確か対局場は山梨県のホテルのはずじゃが…」

「え、ええ…だから2時間かけて神頼みをしにここへ…」

「……………」

しどろもどろになる秀吉の姿を見てコナンは何かを察したらしく、

「わぁー、太閤名人だ!! サインちょうだーい!!」

と、突然、無邪気に叫んだ。

「わっ、ちょっ…」

秀吉は慌てるが、コナンの大声は、すでにほかの参拝客にも聞かれてしまっている。

「ねえ、サインサイン!!」

はしゃぐコナンの様子を見て、参拝客はザワザワし始めた。

「名人の太閤じゃね？」

「マジ？　私超ファン♡」

しかし冷静に考えてみれば、名人戦真っ最中のこの時間に秀吉が東京にいるはずがない。

「んなわけねえだろ？　今日は名人戦だっつーの！」

「なんだー、そっくりさんか――…」

と、参拝客たちは勝手に納得して去っていった。

「ね！」

コナンが明るい表情で、秀吉に耳打ちする。

「こーすれば誰かが見張っててもファンが声をかけただけに見えるし、名人戦当日にこんな所にいるわけないから、周りの人にはソックリさんで通せるでしょ？」

「そ、そうだね…」

呆気に取られる秀吉に、コナンはペンとメモ帳を差し出した。

「じゃあ、サインするフリしながら教えてくれる？　ここへ来た本当の訳を…」

「あ、ああ…。本当はね…」

「ウソォ⁉」

「由美さんが誘拐された⁉」

「マジで～⁉」

秀吉の事情を知った歩美と光彦、そして元太は、驚愕のあまり大声をあげてしまった。

「し～～～っ‼」

と、灰原に人差し指を立てられ、慌てて口をつぐむ。人にバレたらまずいから秀吉にわざわざ文字に書いて伝えてもらったのに、大声を出したら意味がない。

（――ったく、こいつら…）

コナンはあきれながら、『第一局』と書かれた便せんの暗号に目を通した。

「それで、井戸には何かあったの？」

「い、いや…その井戸がどこだかわからなくて…」

落ち着かないようすで答えた秀吉は、急に顔を上げて、コナンを見た。

「――って、知ってるのかい？　その井戸の場所…」

「うん！　この神社で井戸っつったらあそこしかないし…たった今みんなで行ってきた所だから…」

そう言うと、コナンは声を低くして、目つきを鋭くした。

「なんたって運気の上がる…パワースポットらしいからね‼」

羽田秀吉の持ち時間は、残り――3時間58分。

コナンに連れられ、秀吉は井戸のある場所へと向かった。
「この神社で有名な井戸といえば…この加藤清正が掘ったと伝わる清正の井戸だよ？」
歩きながら井戸について説明され、秀吉は「へー…」と納得した。ここは観光スポットになっているらしく、井戸への行き方を示す案内板があちこちに立っている。
パワースポットとしても有名で、コナンたちももともと、この井戸を見るためにここへやってきたのだ。

「清正っていうのは秀吉の家来なんだよ！」

歩美が説明すると、光彦も、

「武勇に優れ、熊本城を建てた築城の名手としても知られてるんです！」

と続いた。元太も得意げに、

「虎にも勝った事があるってよ！」

と、つけ加える。

「で、その清正の井戸を写メで撮って携帯の待ち受けにしたTVタレントが、急に売れ出したから運気が上がるパワースポットとして有名になった、ってわけ！」

最後に灰原が説明すると、秀吉は「そ、そうなんだ…」と控えめにうなずいた。どうやら秀吉は、井戸のことを知らなかったらしい。

「でも太閤って豊臣秀吉の事ですよね？」

「お前太閤名人なのに何で知らねぇんだよ？」

「何でー？」

光彦、元太、歩美が順番に、秀吉の顔を見上げて聞く。

秀吉は困り顔で、「あ、いや太閤っていうのはあだ名だから…」と説明した。

「しかしわからんのォ…。何でこの文章がこの神社を示しておるんじゃ？」

阿笠博士がボヤいて、『第一局』の便せんを読みあげた。

「七つの神社の内の一つが盗賊に襲われ…宝物殿が二日で空になり…井戸に身を潜めていた神主の娘も連れ去られた…」

「七つっていうのは将棋の七大タイトル！　名人、竜王、棋王、王将、王座、棋聖、王位の七つの事さ！　一枚目の脅迫文で自分の事を首無し棋士って書いてたし…『我が棋譜を読み解け』とも書いてるしね！」

　コナンがすかさず説明した。

「将棋は本来、双玉！　王様の捕まえっこじゃなく、玉…つまり財宝の取り合いを模したゲームだったんだ！　って事は宝物殿が空になったんだから、玉である王が消えたって事！　七大タイトルの内、名前に王が無いのは名人戦と棋聖戦…。宝が無くなるまで二日かかったんなら二日かけて戦う…名人戦、竜王戦、王位戦、王将戦の四つ…。名前に王が無く、二日制のタイトルは名人戦のみ！」

理路整然と言って、コナンは、前方の立て看板を指さした。

「つまり『めいじん』の名前が入った神社！　明治神宮ってわけだよ!!」

コナンの指さす先には、どっしりした筆文字で『明治神宮御苑』と書かれている。

「だから名人戦を抜け出してここへ飛んで来たんでしょ？　太閤名人！」

言い当てられ、秀吉は「ああ…」とうなずいた。

「井戸に隠れていた神主の娘がさらわれたのなら…誘拐された由美さんの手掛かりも、この神社の井戸のそばにありそうだと思ってね…」

「犯人は、あんたの持ち時間が尽きるまで待つと書いておるが…あとどれ位なんじゃ？」

阿笠博士に聞かれ、秀吉は自分の腕時計を確認した。

「約3時間50分かと…」

「丁度午後3時頃がタイムリミットのようね！」

灰原がスマホの時刻表示を確認して言う。

「グズグズしてる暇はなさそうだな！　もう一度、清正の井戸に戻るぞ!!」

コナンが走り出すと、歩美と光彦、元太も「オーッ！」と気合たっぷりに後を追いかけた。

「あ、でも行列ができているんなら僕1人で…」

迷惑をかけるのではないかと心配して、秀吉は子供たちを止めようとした。

灰原が「大丈夫よ！」と声をかける。

「ブームになったのは随分前だし…清正も太閤もお祭り好きで将棋好き！　みんなで行けば御利益があるんじゃない？　まあ本物の太閤はあなたのように強くはなかったようだけどね…」

大人びた口調で言われ、秀吉はなんとなく納得して、コナンたちとともに井戸へと向かったのだった。

そのころ山梨では報道陣が、秀吉が東京に向かったことを知らされて驚いていた。

「ええっ⁉　羽田六冠がタクシーで東京に⁉」

「ほ、本当ですか⁉」

「そ、それで行き先は？」

質問攻めにされるが、スタッフたちも行き先までは知らないので「さあ…」と首をかしげるしかない。

「何度も彼の携帯にかけてはいるんですが…全く応答が…」

「持っておらんよ…」

ゆっくりと言ったのは、上座に正座した勝又名人だった。秀吉の対局相手だ。

「対局中は携帯電話の類いに一切、手を触れないというのが暗黙のルール…。今や携帯電話は小型コンピューター…色々な手筋を検索できてしまうからね…」

どうやら勝又名人は、秀吉の棋士としての誠実さをかなり信頼しているようだ。

上座に正座して腕組みをしたまま、勝又名人は落ち着いた口調で続けた。

「彼に何があったかは計りかねるが…彼は『長考する』と宣言して席を立った…。この名人、勝又 力との勝負をまだ捨ててはいないという事だ…。待とうじゃないか…私を破り、七冠を制して神になろうとしているあの男を…」

秀吉とコナンたちがたどりついた時には、井戸の前には長い行列ができていた。

「うわっ！　けっこー並んでるじゃんよ！」

「さっきより人増えてる…」

元太と歩美は、驚きながらも最後尾に並んだ。

「井戸の所に行くまで待たされそうですね…」

光彦がげんなりして言うと、秀吉が申し訳なさそうに謝った。

「ごめんね君達…巻き込んじゃって…。ダメだな僕は…将棋に待ったはないのに、僕は待たせてばっかりだ…由美さんと出会った時もそうだったし…」

「何だよそれ？」

元太が不思議そうに振り返る。

「由美さんとの馴れ初め話ですね？」

光彦がピンときて言うと、とたんに歩美が「聞かせて聞かせて♡」とはしゃいだ。

「オメーらなぁ…その由美さんが誘拐されているっていうのに…」

コナンはすっかりあきれているようだったが、

「待ってる間の暇潰しにはいいんじゃない？」

と、灰原は聞きたそうだ。

「聞かせてくれる？」

「あ、ああ…あれは10年ぐらい前…」

秀吉はおずおずと、由美との馴れ初めを語り始めた。

「順位戦を終えて東都環状線の電車に乗っていたんだけど…。とても後味の悪い対局だったから精神的にヘトヘトになってて…気がついたら…」

「ねぇ、ちょっと！　ちょっとってば――…」
見知らぬ女性の声で起こされ、秀吉は隣の客の左肩にもたれかかって眠っていたことに気がついて、慌てて体を起こした。

「ああっ!! す、すみません。僕、寝てましたぁ!?」

「ええ…私の肩によだれを垂らして…」

女性客は苦笑いで答えると、「それより早く降りて!」と秀吉をせかした。

「あなたこの駅で降りるんでしょ?」

「あ、はい…でも何でそれを?」

腕を引かれて電車を降り、ホームのエスカレーターに乗ると、女性客は振り返って言った。

「切符持ってるじゃない!」

「あ…」

言われて見てみれば、秀吉はずっと切符を手に握りっぱなしだった。女性客は切符に印字された金額を見て、秀吉の降りる駅を知ったのだろう。

エスカレーターを降りると、女性客は改札とは別の方角を指さした。

「じゃあ私、こっちだから…」

「どうもありがとうございました!」

秀吉はきちんと頭を下げてお礼を言うと、去っていく女性客を見送った。すると女性客は、環状線の内回りのホームへと降りていこうとする。

(え？　内回り？　今乗ってた電車って外回りだったよね…)

秀吉は驚いて、女性客の後を追った。

(ま、まさか…)

ホームへと続く階段を降りながら、女性客は誰かに電話をかけていた。

「あ！　美和子？　ゴメン、電車の中でウトウトしちゃって駅5、6個すっ飛ばしちゃってさ——。今、内回りの電車で戻るトコ…だからカラオケボックスには先に…」

友達らしき相手と話すのを聞いて、秀吉は驚いて声をかけた。

「ま、待っててくれたんですか⁉」

女性客が、「え？」と秀吉の方を振り返る。

「自分が下車する駅が通り過ぎてるのに…僕を起こさずに待っててくれたんですね‼」

秀吉が勢いよく言うと、女性客はいたずらっぽい笑顔でウィンクした。

「ええ…。あなたの寝顔があんまりかわいかったから♡」

それが、由美だったのだ。

「――っとまぁ、ただのノロケ話になっちゃったけど…待った無しの将棋の世界にいる僕にとって…あの時の彼女の笑顔はとても…――って…」

照れくさそうに由美との出会いを話していた秀吉は、「え?」と戸惑って言葉を切った。

少年探偵団たちが目をうるませているのに気がついたのだ。

「由美さん…」

「いい人じゃんか!!」

「感動しました!!」

歩美、元太、光彦は、由美の優しさにすっかり心を動かされてしまったようだ。

「お前、ぜってー助け出さなきゃいけねーぞ!!」

元太が噛みつかんばかりの勢いで言うと、光彦も、

「名人の名に懸けてです!!」

と詰め寄った。歩美はギュッと手を握り締め、

「名人は負けちゃいけないんだから!!」

と力いっぱい叫んだ。

「あ、だから…僕は今、名人ではなくて…」

秀吉が訂正しようとすると、灰原が列の先を見て「あ…」とつぶやいた。

「次、私達の番のようね…」

ようやく、井戸を見る順番が回ってきたようだ。


井戸は澄んだ湧水をたたえ、神聖な雰囲気でたたずんでいた。周囲には小石が敷き詰められ、井戸からあふれた水に浸かっている。

「井戸の中に手を入れないでくださいねー…」

警備員が、観光客に呼びかけている。人気スポットだけに、警備員が常に監視して、ルールを破る観光客がいないか見張っているようだ。

(──って事は…井戸の周りのどこかに…)

コナンが探すと、敷き詰められた小石の間に、何かが隠れているのに気がついた。

(ん？　小石の中に…何かある…)

手に取ってみて、コナンは驚いた。

(こ、これは⁉　香車の駒！)

「それなのか？　犯人が残した手掛かりというのは…」

阿笠博士が駒をのぞき込んで聞く。

「ああ…駒の底に『第二局』って刻まれてるから…」

低い声で答えると、コナンは秀吉の方を振り返って聞いた。

「香車で何か心当たりある？」

「いや…特には…」

その時、裏側から駒を見た少年探偵団の三人が「あ───っ‼」と声をそろえて叫んだ。

「え？」

「駒の裏に怪しげな図形が…」

光彦に言われ、「図形？」と、駒をひっくり返してみる。

すると、そこには漢数字の七と三が並んだ謎の図形が描かれていた。


そのころ。

首無し棋士は、一人、将棋盤に向かっていた。

パシッ、と「と金」の駒を動かし、頭の中にある棋譜の通りに盤面を作っていく。

（さぁ、王手だ…羽田秀吉…）

首無し棋士は、静かに呼びかけた。

（お前は私の「と金」を取らざるを得まい…。さすれば私の持ち駒である…この「飛車」が…お前の攻めを蹴散らし陣形は総崩れ…私の勝ちは揺るぎ無い…）

ほくそ笑みながら「飛車」をパチッと盤上に置いた。すぐ隣のソファーには、縛られた由美が眠っている。

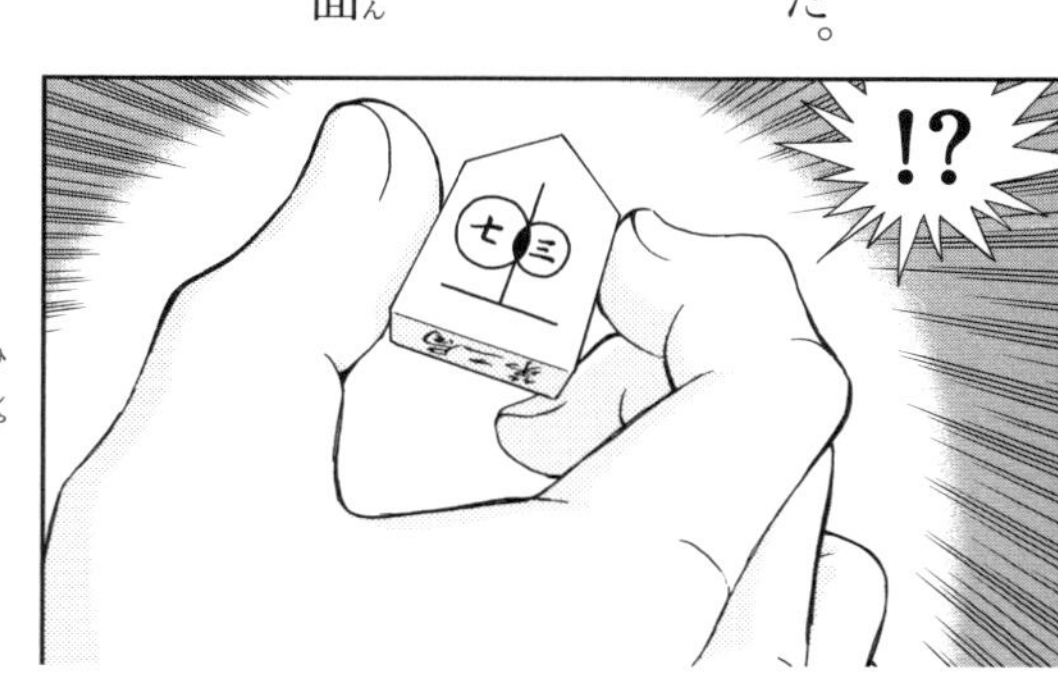

（決まっていた事なのだよ…。10年前からな…）

井戸で発見した香車の裏に書かれていたのは、不思議な図形だった。アルファベットのTを上下さかさまにしたような形で、Tの縦線をはさむようにして、駒の中央あたりで二つの円が少し重なっている。左の円の方が少し大きく、円の中には漢数字の七が書かれていた。右の少し小さな円の中には、三と書かれている。駒尻には『第二局』の文字がある。

「う～～～ん…」

コナンたちは、図形を眺めて知恵を絞った。

「何かこれ…顔に見えねぇか？」

そう言ったのは元太だ。

「顔…ですか？」

光彦が聞き返すと、元太は、

「ホラ！　こんな顔…」

と、自分の顔を図形に真似てみせた。口の形が横一直線になるよう噛みしめると、確かに、ひっくり返したTの横線に見えなくもない。

「ちょっと似てるかも…」

歩美が言うと、元太はますます自分の推理に自信を持って「犯人の顔じゃね？」と推測した。

「そんなわけあるまい！」

阿笠博士が突っ込みを入れる。

「まずは、丸の中の数字の意味を解かないといけないようね…」

そう言って灰原は、駒に描かれた図形に改めて視線を落とした。コナンは、駒をまじまじと見つめてつぶやいた。

「七と三か…七は『七冠』だとしても、三は？」

「思い当たるのは将棋の三段リーグぐらいだけど…」

秀吉も腕組みをして考え込む。

その時、コナンのスマホが、ピリリ、ピリリ……と鳴り出した。

「あ！　佐藤刑事からだ…」

着信表示を見たコナンが言うのを聞いて、秀吉はぎょっとした。

（け、刑事⁉）

首無し棋士からの手紙には『警察は禁じ手とする』と書かれていたのだ。警察と接触を持ったと首無し棋士に知られたら、どんな行動に出るかわからない。

佐藤美和子刑事は由美の親友でもある。おそらく佐藤刑事も、由美が行方不明になっていることに気がついたのだろう。

『あ、もしもしコナン君？　佐藤だけど…』

佐藤刑事の口調は焦っていた。

『由美の奴、どこにいるか知らない？　2日も無断欠勤してて、家にも帰ってなくて携帯もつながらないんだけど…知らないよね？』

由美が首無し棋士に誘拐されたことが、警察にバレるのはまずい。秀吉はコナンに向かって必死に、「しーっ、しーっ！」と人差し指を立てたのだが、

『ちょっと聞いてる、コナン君？』

「知ってるよ！　今、ボクらも捜してるとこ！」

コナンはあっさりと、由美のことを話してしまった。

（えぇっ⁉）

驚愕する秀吉をよそに、コナンはすらすらと話し始めた。

「何か由美さんおとといの夜、酔っ払ってタクシーに乗ったら知らない街で降ろされて…携帯電話も財布もどこかに落としちゃったから…ポケットに入ってた小銭で公衆電話からボクに電話して来たんだけど、小銭が切れて電話も途中で切れちゃったみたい！」

コナンの作り話を聞いて、佐藤刑事は息をのんだ。

『ふ、2日もどっかの町でさまよってるってわけ？』

「まあ、由美さんなら絶対何とかして連絡して来ると思うから…その時の為にミニパト、スタンバらせといた方がいいと思うよ！」

コナンが言うと、佐藤刑事は『そ、そうね！　わかったわ！』と納得して、電話を切った。

コナンとの電話を終えた佐藤刑事は、隣にいた交通課の三池苗子巡査部長に顔を向けた。

「──って事だけど…できる？」

「あ、はい、上の人に掛け合ってみます！」

三池巡査部長は慌ててうなずくと、

(由美さん…交番に行けばいいのに…)

と内心で疑問に思いつつ、ミニパトの手配をするため交通課のフロアに向かった。

「──ったく、由美の奴ゥ～！」

佐藤刑事は、すっかりコナンの話を信じて、由美にあきれているようだ。


コナンがわざわざ佐藤刑事に作り話をしたのは、ミニパトをスタンバイさせるためだった。

「これでパトカーの出動準備OKっと…」

電話を切って、息をつく。コナンは、きっと後でパトカーが必要になるだろうと踏んでいるのだった。

「後はこの暗号を解くだけだけど…」

「七と三の意味がわからんとのォ…」

灰原と阿笠博士が、順番に言って駒を眺めた。

「香車に何か別の意味はないんですか？」

光彦に聞かれ、秀吉はあごに手をあてて考え込んだ。

「確か安産祈願の御利益があるとか…昔、遊廓の遣り手の事をそう呼んだとか…」

「遊廓の遣り手が何で『香車』なわけ？」

「た、多分だけど…香車の事を『ヤリ』とも呼ぶからじゃないかなぁ？」

灰原に聞かれ、秀吉は自信なさそうに答えた。『遣り手』とは『ヤリ』をかけた呼び方なのだろうが、少年探偵団たちはまだ納得がいかないらしい。

「ヤリって武器の槍かよ？」

「ゲームのスピアやランスですね…」

「でも何でそう呼ぶの？」

口々に聞かれ、コナンと秀吉は、順番に答えた。

「そりゃー、香車がどこまでも真っすぐ前に進んで…」

「まるで槍のようだから…」

次の瞬間、コナンも秀吉もはっとして、井戸で見つけた駒を見つめた。

(待てよ…確か加藤清正って…)

(…だとしたら、この七と三は…)

改めて、駒の裏側に描かれた図形を眺め、二人は「!!」と確信した。

(なるほど…)

(そういう事か!!)

秀吉とコナンは、同時に駒の謎を解いてしまったようだ。

「あら、2人共…わかっちゃったって顔してるけど…ちゃんと私達にも答え教えてくれるんでしょうね？」

灰原が二人の表情の変化にめざとく気づいて、釘を刺す。

「博士！　車を入り口に！」

コナンに指示を出され、阿笠博士は「あ、ああ…」とうなずいて、走っていった。

「知りたきゃ向こうに着いてから教えてやるよ！」

と、コナンは少年探偵団たちに向かって言った。

「恐ろしい名前のついた坂の途中にある場所だけど…お前らも来るか？」

（え？）

恐ろしい名前、と聞いて、少年探偵団たちは息を飲んで固まった。

羽田秀吉の持ち時間――残り3時間4分。

その坂の名前は、古びた木の立て札に刻まれていた。
「ゆ…幽霊坂!?」
坂の下までやってきた少年探偵団たちは立て札の文字を読み上げて、そろって怯えた表情を浮かべた。

「な、何でこんな恐ろしい名前をつけたんでしょうか？」

光彦が、声を震わせてコナンに聞く。

「坂の両側に寺院が並んでてものさびしい坂だから、らしいぜ…」

「さすが…詳しいわね…」

灰原は感心したようだったが、

「立て札の横に書いてあるだろ？」

と、コナンは坂の名前が書いてある柱状の立て札の側面を見た。

そこには、『ゆうれいざか　坂の両側に寺院が並び、ものさびしい坂であるためこの名がついたらしいが、有礼坂の説もある。幽霊坂は東京中に多く七か所ほどもある。』と解説が書かれている。

「ホントだー！」

歩美が目を丸くして言うと、元太も、

「何だ…地獄に通じる坂かと思ったぜ…」

と、つぶやいた。

怖いのは名前だけとわかって、三人ともほっとしていたようだったが、

「まあ目的地は、この坂の途中の墓地だけどな…」

そう言ってコナンが坂の上の方を指さしたので、また「え？」と慌ててしまった。墓地があるなんて聞いていない。

「だよね？　太閤名人！」

「ああ…清正の井戸にあった暗号が書かれていたのは香車の駒…つまりあの暗号の七と三は槍を示していたんだ！」

秀吉は坂を上りながら、香車の暗号について説明した。

「加藤清正で槍で七といえば、賤ヶ岳の戦いで武功を挙げ、賤ヶ岳の七本槍と謳われた…加藤清正、福島正則、加藤嘉明、脇坂安治、平野長泰、糟屋武則、片桐且元の七人！　槍で三といえば天下三名槍の…御手杵、日本号、蜻蛉切の三本！」

秀吉は、武士や槍の小難しい名前をすらすらと口にしていく。さすが棋士だけあって、秀吉の暗記力はずば抜けているようだ。

「賤ヶ岳の七本槍の七人の中の一人で…なおかつ天下三名槍の中の一本を持っていたのは…豊臣秀吉から日本号を貰い受けた…福島正則！」

「おお！　その逸話なら聞いた事があるわい！」

阿笠博士が、うれしそうに反応した。

「確か、酒の席で黒田官兵衛の家臣の母里太兵衛と賭けをして、呑み取られたというあの槍じゃろ？」

「ええ…」

「んで、七の丸と三の丸の重なった部分を貫いてる逆Tの字は…墓地を表す地図記号ってわけさ！」

最後にコナンが補足すると、灰原は「なるほど？」と納得したようにコナンの顔を見た。

「その福島正則のお墓がこの先にあるのね…」

「ああ…」

「しかし心当たりはないのか？」

阿笠博士に言われ、秀吉は「え？」と振り返った。

「由美さんを誘拐した犯人じゃよ！　首無し棋士と名乗っておるから、将棋関係者と思うが…」

「いえ…特には…」

秀吉はそう答えたが、本当は心当たりがあった。

（まさか…まさか…）

思い浮かぶのは、十年前の、とある対局のこと。


実は十年前、将棋会館で、秀吉は首無し棋士と対局していた。

対局は佳境にさしかかり、首無し棋士は、秀吉の次の一手を待ち焦がれていた。

（４八飛！　４八飛!!　４八飛!!!）

首無し棋士は４八に飛車を打ち込めるよう、王手をかけていた。

（そこに打てば、王手銀取り…私の勝ちだ!!　さぁ早くその「と金」を取れ！　私にこの必勝の一手を打たせてくれ!!）

首無し棋士には、勝利を急ぐ理由があった。

(病院で妻が待っているんだ…私の勝利報告を待ってるんだ…)

脳裏に病気の妻の顔が浮かぶ。

(B級に上がれるよ…今よりもっと大きな病院に移れるよって…)

焦る首無し棋士の耳に、駒で将棋盤をたたく時のパチンという音が聞こえた。

(来た！　来た来た!!　必勝の４八飛!!!)

首無し棋士は興奮して、駒台の飛車を手に取った。

「あ、待っ…」

今さら首無し棋士の策略に気づいたのか、秀吉が待ったをかけようとする。首無し棋士は、ほくそ笑んで、飛車を将棋盤に打ちつけた。

「将棋に待ったは…ないんだよ!!」

パシィ！

打ってから、すぐに気がついた。秀吉が「と金」を取ったと思ったから飛車を打ったのに、「と金」はさっきと同じ位置にある。

（え？　何でまだそこに「と金」が…。今の音は⁉）

驚いていると、秀吉が駒台の上の駒をパチンと鳴らしながら「すみません…」と謝った。

「考えながら駒をいじってたら、つい音が…」

（えっ⁉）

首無し棋士は、言葉を失った。

駒台の上には、対局の途中で取った駒が並べて置いてある。そして、さっきの音は、秀吉が次の手を指した音ではなく、単に駒台の上の駒を鳴らした音だったのだ。

首無し棋士は、自分の番ではないのに、駒を動かしてしまったことになる。それは、「二手指し」と呼ばれるルール違反だった。

「でも二手指しは禁じ手…投了してください…。対局後の感想戦は…必要ありませんよね？」

無表情にそう言い残すと、秀吉は会場を出ていってしまった。

いまいましい記憶がよみがえり、首無し棋士はドン！　と将棋盤に拳を打ちつけた。

（あんな卑劣な男が六冠王だと？　ふざけるな!!　あの後、途方に暮れて妻の死に目に会えず…将棋が指せなくなり…どん底人生…）

秀吉のことを考えると、はらわたが煮えくり返る。

首無し棋士は怒りに燃える心をなんとか落ち着けて、散らばった駒を再び並べ始めた。

（さぁ…あの対局のやり直しだ羽田秀吉…。もっとも…ここに辿り着けたらの話だがな…）

首無し棋士は、自分が二手指しで台無しにしたあの対局の棋譜通りに駒を並べているのだった。


そのころ、秀吉たちは、福島正則の墓へと到着していた。

福島正則の墓は、こぢんまりとした寺の境内にあった。五つの大きな石が積み上げられており、上から順番に「空」「風」「火」「水」「地」と漢字が刻まれている。左隣には、一回り小さな同じ石が積み上がっていた。

「へぇ――…変わった形のお墓だね…」

歩美が、不思議そうに墓を見上げた。

「正確には供養塔…隣の小さいのは、息子の正利の墓だよ…」

コナンが言うと、灰原は「でも何もないわね…」とつぶやいて供養塔を見た。阿笠博士が怪訝な顔をする。

「供養塔って事は、本当の墓は別にあるんじゃあ…」

「ああ…長野や京都や和歌山や広島にもあるらしいけど…一度、明治神宮に行かせた後で他県に向かわせるのは、時間的にもないかと思って…」

明治神宮から近い、都内の供養塔にやってきたコナンの読みは当たっていたようだ。

「あ！　墓の裏に何かあるぞ！」

と、さっそく元太が供養塔の裏で何かを見つけた。

「将棋盤ですね！」

光彦が言い、コナンと秀吉は「え？」と同時に顔を向けた。

「よっこら…せっ！」

元太が、側面に「第三局」と書かれた将棋盤を抱えて持ち出してくる。供養塔の陰に隠してあったようだ。

そのころ。

世良は引っ越ししたばかりのホテルの一室で、シャワーを浴びて出てきたところだった。

「お風呂あがったよ――！」

と、元気よく声をかけた相手は、同じ部屋で一緒に暮らしている少女だ。しかし、返事がない。寝室をのぞくと、少女はベッドの上で布団にくるまっていた。

「――って…寝ちゃった？」

世良は、眠る少女をのぞき込んだ。

(あれ？　TVのリモコン…)

少女の顔の横には、リモコンが置いてある。

（何か観てた？）

不思議に思い、TVをつけてみて、世良は「ん？」と首をかしげた。

（将棋？）

少女が見ていたのは、名人戦の中継だ。しかしそこに秀吉の姿はなく、名人である勝又力が、腕組みをして盤前に座っているだけだった。

山梨で名人を待たせながら、秀吉は東京で首無し棋士の暗号と必死に取り組んでいた。

元太と光彦が発見した将棋盤には、5九に玉将、3九に金将と銀将、2九に桂馬、1九に香車、4七に歩兵、3六に角行、そして2四に飛車と角行が置いてある。

「駒が将棋盤に接着剤で貼り付けられてるわね…」

灰原が、駒に触って動かないことを確認して言う。

2四の飛車と角行だけは接着剤ではなく、二枚まとめて釘で将棋盤に打ちつけられていた。

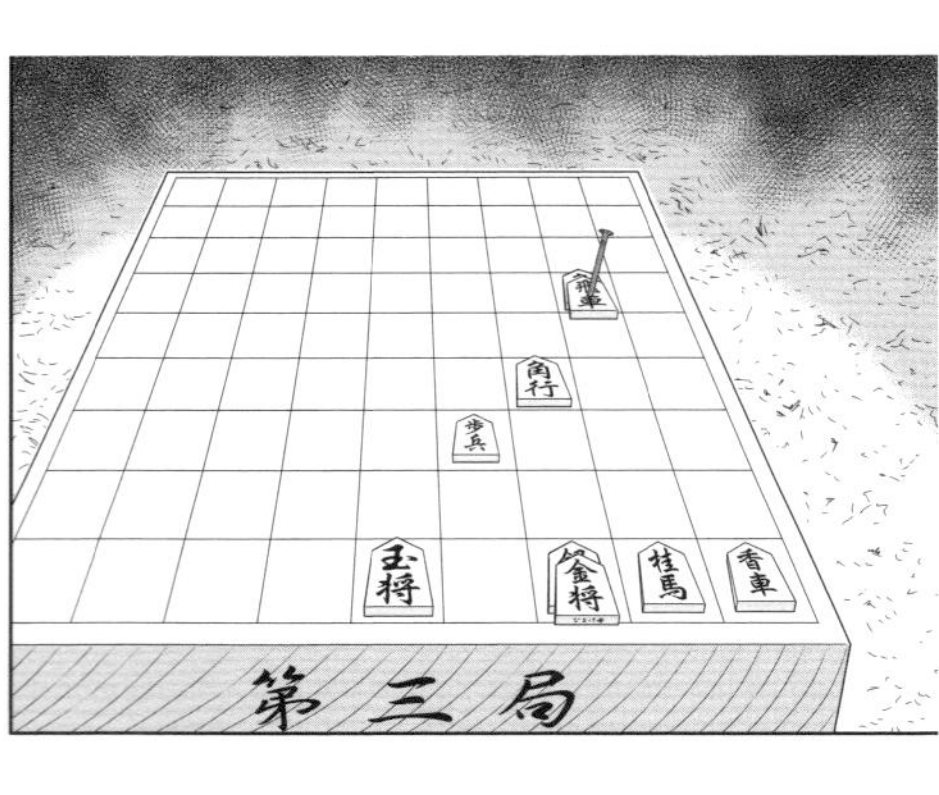

「しかし何で釘が…」

阿笠博士が不思議そうにつぶやくと、光彦も、

「不気味ですよね？」

と、首をひねった。

「多分…この釘が示す場所に…来いって事なんだと思うけど…」

コナンは釘が刺さった２四の飛車と角行を見てつぶやくと、

「これって何かの戦法だったりする？」

と、秀吉の方を振り返った。

「いや…こんな布陣記憶にないよ…」

そう言うと、秀吉は盤上をまじまじと見つめた。

「気になるのは飛車と一緒に釘で串刺しになってる角と…同じく重なってる金と銀…。そして他の駒は一種類ずつなのに…なぜか角だけ二枚あるのも謎だけど…これが何を意味しているのかがさっぱり読めない…」

「だよね…」

コナンがうなずく。

すると、横から盤面を見ていた元太が、

「『へ』じゃねえか？　ひらがなの『へ』に見えるぞ！」

と、何気なく言った。真横から見ると、将棋の駒の並びはひらがなの「へ」の形をしているように見えるのだ。

「こっちから見ると数字の『7』に見えますよ？」

光彦が盤面を違う角度から見て言う。確かに、ひらがなの「へ」は、九十度右に回転させると数字の「7」に似た形になる。

「7の方がありかもね…。1つ目の暗号は将棋の七大タイトルで、2つ目は賤ヶ岳の七本槍だったし…」

灰原が言い、コナンは（確かにそうだな…）と納得した。

「あ――、駒の横に何か書いてある――！」

釘で留められた飛車と角行を横からのぞき込んで、歩美が声をあげた。

「ホラ！　すっごく小さい字で…」

歩美の言うように、飛車の下にある角行の側面に筆で何か文字が書かれているようだった。光彦が顔を近づけて、読み上げる。

「『見栄っ張り』ですね…」

「おお！　それなら金の底にも書いてあるぞ！　『なまけ者』とな！」

阿笠博士が、銀将の上に重なった金将の駒尻をのぞき込んで言う。

「他に文字が書いてある駒はなさそうね…」

灰原が将棋盤の周りをぐるりと一周してつぶやくと、阿笠博士も自分で確認しながら「うむ…」とうなずいた。

コナンは考え込んだ。

「飛車と串刺しになってる角が『見栄っ張り』で、銀の上に載ってる金が『なまけ者』？」

「あ——、わかりました！」

得意げに声をあげたのは、光彦だ。

「金は銀の上に載って楽をしてるからなまけ者で！　角は飛車をまとって自分を強そうに見せてるから見栄っ張りなんですよ！　飛車って最も強い将棋の駒ですからね！」

「すっごーい光彦君！」

「きっとそれ当たりだぞ！」

歩美と元太が、口々に言って顔を輝かせる。

「………」

光彦の推理を聞いていたコナンはシラけた顔になって「で？」と聞いた。

「それが何を意味してんだよ？」

とたんに、光彦も、歩美と元太も、黙り込んでしまう。

「あ、いえそこまではちょっと…」

光彦は困って、言葉を濁した。

秀吉も光彦の推理には納得がいっていないらしく、「しかし妙だな…」とつぶやいた。

「金は王とほぼ同じぐらい動ける働き者の駒だし…角は斜めにどこまでも進める強い駒…わざわざ飛車をまとって強く見せなくても…」

コナンと秀吉は、そろって「うーん…」と考え込んでしまった。

「悩んでる時間はあまりないわよ…」

スマホの時間表示を確認して、灰原が冷静に言う。

「タイムリミットまであと2時間半…。由美さんを助け出して山梨の対局場に戻るつもりなら、あと30分ぐらいしかないから…」

「戻るつもりはないよ…」

秀吉があっさりと言う。

少年探偵団たちは「え〜〜〜！」と目を丸くした。

「長考するって言って出て来たんですよね？」

「あきらめちゃうのかよ？」

「せっかく7つ揃いそうなのに!!」

七冠を前にしてあきらめてしまうなんて――と光彦も元太も歩美も、驚いているようだ。

しかし秀吉にとっては当然、将棋よりも由美の方が大事なのだった。

「『長考する』って言わないと、僕の負けが決まり僕の持ち時間がなくなって…由美さんが危ないと思っただけだから…。まあ七冠はまたいつか狙えるかもしれないし…」

秀吉が言うと、阿笠博士も「そ、そうじゃな！」とうなずいた。

「とにかく今は由美さんの救出を優先せねば…」

「でもこれって…まるで私達を見透かしてるようね…」

盤上を眺め、灰原が意味深に言う。

「え？」

「だってそうでしょ？　元々私達は６人グループ…そして新しく仲間になった７人目…。この盤の上の駒にそっくりじゃない！」

灰原が少年探偵団と阿笠博士とコナン、そして秀吉を順番に見て言う。確かに、最初は灰原たち六人だけでパワースポット巡りに来ていたところへ、後から秀吉が合流して七人になったのだ。

灰原の言葉に事件を解決する糸口を感じて、秀吉とコナンは「……」と同時に黙った。

(新しく仲間になった…７人目…)

「新しく仲間になったなんて何でわかるんだよ？」

元太がボヤくと、光彦が「角ですよ！」と答えた。

「角は最初1つしか持てませんから！」

「ええ…難問に押し潰されて身動きできないでいる所までそっくり…」

灰原の言うように、角行の駒は飛車とともに釘を刺されて動きを封じられている。

「いや…違う！」

真っ先に秀吉が反応すると、

「新たに仲間に加わったのは…」

と、コナンが続き、二人は、

「その角じゃない!!」

と、声を合わせた。

灰原は訳がわからず、「え？」とつぶやく。

コナンと秀吉は、いよいよ第三局の暗号も解きつつあった。

(8人いた仲間が…6人になり…新たに1人仲間に加わった…。間違いない…この盤上の駒は…あの七つを示している!!　そしてこの飛車の位置からして…由美さんが囚われている場所は恐らく…）

コナンと秀吉は、同時に走り出した。

「車まで急いで!!」

秀吉に言われ、阿笠博士がキョトンとして「え？」とつぶやいた。

「もしかしてわかったの？」

「ああ！」

灰原の疑問に、コナンは力強くうなずいた。

「由美さんがいるのは…杯戸町だ！」

羽田秀吉の持ち時間は、残り——2時間18分。


阿笠博士の運転する車で杯戸町に向かいながら、コナンは将棋盤の暗号について説明した。

「七つの大罪？　あの将棋盤の駒がそれを意味してたの？」

コナンの説明を聞いて、左隣に座る灰原は意外そうな顔をした。七つの大罪とは、キリスト教において人を死に至らしめる、人間が持つ七つの欲望のことだ。

「ああ！　七つの大罪は元々『暴食』『色欲』『強欲』『憂鬱』『憤怒』『怠惰』『虚飾』『傲慢』の八つあって…『虚飾』が『傲慢』に、『憂鬱』が『怠惰』に含まれ、新たに『嫉妬』が追加されて今の七つになったんだ！　まるで…あの将棋盤の駒のようにな！」

確かに、将棋盤の上には、駒の置かれたマスが七つあった。

「でもどの駒が何を示しているんでしょうか？」

「角って駒は二つあったよね？」

灰原の隣の光彦とコナンの右隣に座る歩美が、順番に聞く。

「いや、飛車と串刺しになってた角には『見栄っ張り』って書かれてたから『虚飾』！　もう一つの角はあの位置からして『嫉妬』だよ！　そうだよね太閤名人！」

コナンが聞く。

秀吉は助手席から後部座席の方を振り返って、「ああ…」とうなずいた。

「角は斜めにしか動けないから、行けるマスが決まってるんだ…。だから成ってもいない角があのマスにあるって事は、相手から取って自分の持ち駒にして新たにあのマスに打った駒…つまり新しく仲間に加わった『嫉妬』ってわけさ！」

「なるほど…『なまけ者』と書かれていた金は『怠惰』で、『憂鬱』な銀と重なっており…『虚飾』な角と重なっていた飛車は『傲慢』という事か…」

阿笠博士が納得したようにつぶやいた。

「それに飛車があの位置にあるのは、高圧的に攻める高飛車な構え…高飛車な人は傲慢ともいえますからね…」

秀吉が補足する。

将棋やら七つの大罪やら複雑な要素ばかりで、後部座席左端にいる元太は訳がわからなくなってしまったらしく、顔をしかめてコナンに聞いた。

「何だかよくわかんねぇけど…結局どこに行けばいいんだよ？」

「釘が刺さっている飛車は『傲慢』！　『傲慢』を英語にするとプライド…この近辺でプライドって名前についてる場所はホテル杯戸プライド！　由美さんが誘拐されて監禁されてるのはそこしかねぇ!!」

コナンが断定すると、灰原が不可解そうにつぶやいた。

「でも随分丁寧な誘拐犯ね…いくつもヒントを残して…」

「子供や犬とかにイタズラされて駒をはがされてもわかるようにしたんだろーぜ…。最悪『高飛車』だけでも解けなくはねぇからな…」

そう言うと、コナンは助手席の秀吉の方を見て続けた。

「きっと誘拐犯はその場所に来て欲しくてしょうがないんだよ！　太閤名人に…」

秀吉の表情が引き締まる。

「でも…ホントにそこが最後なの？」

歩美が不安そうに聞くが、コナンは「ああ！」と自信満々だ。

「今までの暗号には第一局、第二局、第三局って書いてあっただろ？　一から三まで解いたんだから…名人戦なら次の第四局を取れば…こっちの勝ちだ!!」

名人戦は最大で七局指して、先に四勝した方の勝ちになる。コナンたちは、第一局から第三局までの暗号を解いているので、次を取れば勝ちというわけだ。

ホテル杯戸プライドへとやってきたコナンたちだが、ロビーに変わった様子はなかった。

「ホテルには着いたが、一体どこを捜せば…」

阿笠博士が不安そうにあたりを見回すが、コナンは余裕の表情だ。

「大丈夫！　犯人は太閤名人に来て欲しいんだから…多分フロントで聞けば…」

秀吉がフロントに声をかけると、スタッフはすぐに「ああ、羽田様ですね！」と反応した。コナンの予想通り、犯人が伝言を頼んでおいたらしい。

「来られたらお連れするように承っております！」

スタッフに連れられ、コナンたちは客室へとやってきた。

「あの…羽田様いらっしゃいましたけど…」

スタッフが、ドアをコンコンとノックする。

(ドアのロックを、テープでふさいでる…入って来いって事か!!)

ホテルのドアはオートロックで、閉まると自動的にロックがかかってしまう仕組みだが、首無し棋士はわざわざ粘着テープで錠のラッチボルトを押し込んだまま固定して、ロックがかからないようにしている。

コナンは、犯人の意図に気がついて、ドアを開けた。

「あ、ちょっと…」

スタッフが止めるのも聞かず、コナンは部屋の奥へと駆け込んだ。

「由美さん!!　いたら返事して!!　由美さん!!」

秀吉も後に続き、リビングの扉を勢いよく開ける。

するとソファーの上に、縄で縛られ粘着テープで口をふさがれた由美が寝かされていた。

「ゆ…由美さん!!」

由美の姿を見つけ、秀吉はひとまずほっとしたようだ。しかし、すぐそばには、首無し棋士の姿がある。

「おっと、そこまでです…」

首無し棋士は羽織袴姿で、将棋盤の前に正座して秀吉を待っていた。無精ひげを生やしメガネをかけた、小柄な男だ。手には、コードとつながったスイッチのようなものを持っている。

「羽田秀吉以外の入室は禁じます…。それを破ればソファーに仕込んだ爆弾が破裂する…」

警告され、秀吉はその場に立ち止まった。秀吉の後ろにいるコナンや阿笠博士、少年探偵団たち、そしてホテルのスタッフの姿を見て、首無し棋士は眉をひそめた。

「――ったく、他言無用と警告したのに連れがいたとは…まぁ警察には見えませんからよしとしましょう…」

「やはりあなたでしたか…谷森さん…」

秀吉に名指しされ、首無し棋士――谷森はうっすらと笑った。

「さぁ10年前のあの対局のやり直しです…どうぞ座ってください…。忘れてしまったと思いますが…あの時、私は４二『と金』で王手をかけて…」

「同玉！」

谷森を遮って、秀吉が力強く静かに言う。

「忘れていませんよ、あの対局は…。この10年、一瞬たりとも…。さぁ僕の王であなたの

『と金』を取ってください…」

「フン…ついに腹を括ったか…」

ほくそ笑んで、谷森は秀吉の王将を動かし、自分のと金を取らせた。

「まぁ、そうなりゃ…この必勝の４八飛が…炸裂するだけだがな!!」

パシィ！

谷森が、勢いよく音を立てて飛車を打ち込む。これこそ十年前の対局で、谷森が指し損ねた必勝の手だ。

「ハッハッハッ、これで王手銀取り!!　私の勝ちだぁ!!!」

興奮して叫ぶと、谷森は涙を浮かべた。

(桂子…やっと打てたぞ…。10年前の雪辱をやっと…やっと…桂子ォ!!)

谷森は「う…う…」と泣き始めてしまった。十年前の対局をやっとやり直し、とうとう秀吉に勝つことができるのだ。

しかし秀吉は、立って谷森を見下ろしたまま、冷静に告げた。

「４七…角！」

（え？）

谷森が驚いて顔を上げる。４八飛を打ち込んで、これで勝負はついたはずなのに、どうして秀吉は指し続けようとしているのだろうか。

「僕の持ち駒の角を…あなたの飛車の前に…」

秀吉に言われ、盤上を改めて確認して、谷森は目を見開いた。

（よ…４七…角だと⁉）

動揺しつつも、「ど、同飛…」と口に出しながら、自分の手を指す。

すると、秀吉が即座に「５一玉！」と受けた。

「ご、５三香で、お、王手！」

「６二玉…」

「よ、４二飛車成で王手‼」

「７一玉！」

（あ…ああっ⁉）

谷森の口があんぐりと開いた。秀吉の王将はたくみに谷森の反撃をかわし、生き延びてしまったのだ。

「これで僕の王に詰みはなく…あなたの玉は必至…」

秀吉に静かに告げられ、谷森は「………」と言葉を失って盤面をにらんだ。

「この勝ち筋に気づいたあの時、心が震えて…いじっていた持ち駒の角をつかみそこねて、つい音が…」

秀吉はうつむいて、十年前の対局で、紛らわしい音を立ててしまったことを詫びた。

谷森が、観念したように息を吐き出す。

「…4七角はまさに逆転の妙手…。どのみち私は…負けていたという事か…」

「すみません…あの対局前にあなたが病院に電話されているのを聞いてしまって…。なんとか早く対局を終わらせようと気がはやってしまい、思わず失礼な態度を…」

十年前。対局の前に、秀吉は谷森が公衆電話をかけながら、こんな風に話すのを聞いてしまったのだ。

――妻の容体がどうであれ、対局が終わるまでそちらには行けません…。妻には、私も頑張るからお前も頑張れと伝えてください…。

病気の妻が谷森を待っていると知って、秀吉は焦っていた。「対局後の感想戦は必要ありませんよね？」と聞いたのは、感想戦などやっている時間があったら早く病院に向かってほしかったからだったのだ。

「じゃああの時のあの言葉は…私を早く病院に向かわせる為に…」

谷森は呆然としてつぶやくと「ハハハ…」と自嘲してうなだれた。

「何もかも私の負けじゃないか…」

「と、とにかく爆弾の解除を!!」

秀吉にせかされ、谷森は苦笑いでスイッチを見せた。つながったコードの先端は途中でちぎれていて、どこともつながっていない。

「大丈夫…これはただのハッタリ…。彼女はただ薬で眠っているだけですよ…太閤名人…」

谷森はとうとう、秀吉のことを認めたのだった。

事件後、コナンが呼んでおいたミニパトが、由美を迎えに来た。運転しているのは、三池巡査部長だ。眠ったままの由美を、秀吉が後部座席へと運び込み、病院へと向かう。食事などは与えられていたとはいえ、由美は丸二日も監禁されていたので、健康上の問題がないかなど検査する必要があるのだ。

谷森は、阿笠博士の車で警察へと向かうことになった。

「由美さん？　由美さん？」

秀吉は病院へと向かいながら、由美を揺さぶって起こそうとした。

「由美さん!?」

由美はぐっすり眠っていたが、秀吉が何度も声をかけると、ようやく「ふぇ？」と目を開けた。

「え？　チュウ吉？」

「由美タン♡」

秀吉は笑顔になって、由美を見つめた。

由美は、ふぁ、とあくびをしながら、窓の外へと目をやった。

「ここどこ？」

「ミニパトの中だよ！」

「コナン君から連絡があったんです！　誘拐された由美さんを羽田さんが助けたから、すぐに迎えに来てくれってね！」

秀吉と三池巡査部長が説明すると、由美は監禁されていたことを思い出し、カッと目を見開いて窓に張りついた。

「そーいや私を拉致ったあの男はどこにいんのよ⁉」

「彼はもう阿笠さんの車で警察に出頭したから…」

鬼の形相で怒る由美を、秀吉が苦笑いでとりなす。

「でもすごいです羽田さん！　今日は大事な試合だったのに由美さんの為にすっぽかすなんて…」

仲の良さそうな二人のやり取りを聞きながら、三池巡査部長が言った。

秀吉がプロ棋士であることを知らされていない由美は、「試合って何よ？」と、不思議そうに秀吉を見た。

「あ、実は今日、名人戦だったんだ…」

「それ、どこで何時？」

「や、山梨県の時和ホテルに3時までに着けばだけど…あと1時間半もないからもう…」

秀吉は完全にあきらめモードのようだ。

「チュウ吉…あんたこの車なめてんじゃないの？」

由美は得意げに言うと、ウインクして髪をかき上げた。

ファンファンファンファンファン…

ミニパトはサイレンを鳴らして走り始めてしまった。前を行く車がミニパトに車線を譲っていく中、助手席へと移動した由美は、マイクでがなりたてた。

「コラァ！　そこのベンツ!!　車線を変えて道を開けなさい!!　どけっつってんのよ!!」

「由美タン、これ以上はヤバイよ!!　もう山梨に入ってるし…」

後部座席から秀吉がやんわりと止めるが、時すでに遅し。

山梨県警の白バイが、すでに後方からミニパトを追いかけてきている。

「そこのミニパト！　止まりなさい!!」

(やっぱこうなるよねー…)

三池巡査部長は、苦笑いでミニパトを停めた。

白バイ隊員に身分証の提示を求められ、警察手帳を差し出す。

「警視庁の…三池苗子巡査部長…。確かに警察手帳は本物のようだが、何なんだね？　ここは山梨県だぞ!?」

「これには色々事情が…」

三池巡査部長が説明しようとすると、横から由美が口をはさんだ。

「早くしないとチュウ吉が名人戦に遅れちゃうのよ!!」

「名人戦？」

不思議そうに後部座席をのぞき込んだ白バイ隊員は、秀吉がいるのに気づいて「あぁっ!?　太閤名人!!」と大声をあげた。

「は、はい…」

「私です！　この前カフェでサインを頂いた…」

なんと白バイ隊員は、秀吉と由美がカフェで喧嘩をした時に居合わせた、あの男性客だったのだ。

太閤名人ファンの警官の協力により、秀吉は山梨県警の白バイ三台に先導されながら、対局会場の時和ホテルへと向かうことになった。

予想を超える対応を受け、由美は目をパチクリさせた。

「何？　もしかしてチュウ吉…有名人なの？」

「なのです…」

三池巡査部長が、控えめに肯定する。

白バイ隊員のおかげで、一行は時間内になんとか時和ホテルに到着することができた。

「それでは太閤名人！　ご健闘をお祈りします！」

白バイ隊員たちに敬礼で見送られる。

由美は、携帯の時間表示を確認して、ため息をついた。

「ふう、２時57分…」

「ホントに間に合った…」

と、三池巡査部長も驚いている。

しかし、まだ、対局場に着いたわけではない。一刻も早く、会場に向かわなければならない——というのに、秀吉は羽織の袂をごそごそと探って「あ、あれ？　ない？」と何かを探している。

「何が？」

「写真だよ！　由美タンがVサインしてる…どこかに落としちゃったんだ…」

「そんなのいいから早く行きなさいよ！」

由美があきれて背中を押すが、

「で、でもあれはお守りなんだよ!!」

と、秀吉は動こうとしない。

「去年の名人戦も…あれを忘れたせいで…」

ごちゃごちゃ言う秀吉の口を、由美が唇でふさいだ。

「これでどうよ？　写真よりご利益…あるんじゃない？」

ウインクをされ、秀吉は顔を赤くして、「は、はい!!」とうなずいた。

気合とともに、ダッと対局場に走っていく。

その背中を見送りながら、由美は「でも、知らなかったよ…」とつぶやいた。

「落語に名人戦があるなんて…」

「ら、落語？」

「ホラ、あの着物！　素人落語名人戦とかじゃないの？」

「………」

由美が秀吉を指さして言う。

どうやら由美は、秀吉がプロ棋士で、しかも『太閤名人』とまで呼ばれている有名な存在であることにまったく気がついていないようだ。三池巡査部長はあきれてしまった。


秀吉は、ぎりぎりのタイミングで、対局へと戻ってきた。

「30秒〜〜〜…」

記録係が、残り時間を読み上げる。会場がざわつく中、秀吉はスッと自分の席に腰を下ろした。パチ、と自分の手を指すと、勝又名人に向かって頭を下げる。

「お待たせしました…」

「私は構わないが…大丈夫かね？　君は持ち時間を使い切って…1分将棋になっているが…」

持ち時間を使い切った後は、相手が指してから一分以内に次の手を指さなければならないのだ。持ち時間がまだたっぷり残っている名人に対して、秀吉の条件はあまりに不利だ。

しかし、秀吉は不敵に微笑して応えた。

「ええ…今の僕にとって1分は…無限ですから…」

その夜。

世良がバイクで帰宅すると、同居中の少女はTVを見ていた。

「ねぇ…このホテルの前にパトカー停まってたけど…何があったか知ってる？」

世良が聞くと、少女は「さぁ…」と答えながら、TVを消した。

「知らな〜い♪」

上機嫌でそう答えると、鼻歌を歌いながら、去っていく。いつもはクールな少女の、珍しく浮かれた様子を見て、世良は目が点になった。

「何そのリアクション…キモいんだけど…」

同じころ、沖矢昴として工藤邸に身を潜める赤井秀一は、一人、PCでネットニュースをチェックしていた。

——太閤名人　七冠達成!!

秀吉が持ち時間の不利を乗り越えて名人戦に勝利し、七冠を達成したというニュース記事だ。

弟の勝利を知り、赤井は小さくほほえんだ。

霊魂探偵殺害事件

DETECTIVE CONAN

AKAI FAMILY SELECTION

学校からの帰り道。

江戸川コナンは、毛利探偵事務所までの道を歩きながら、黒ずくめの組織の一員であると考えられるRUMについて思考を巡らせていた。

十七年前、将棋の天才棋士だった羽田浩司が何者かに殺された。チェスの大会に参加するために滞在していた、アメリカのホテルの一室が殺害現場だ。事件後、羽田と同じホテルで殺された大富豪のアマンダ・ヒューズのボディーガード、浅香という人間が、現場から姿を消していたという。

ついこの間、コナンは赤井秀一と同時に、羽田浩司の残したダイイングメッセージを解いた。すると、「ASACA RUM」という文字が現れたのだ。

(オレの推理通り、17年前に羽田浩司を殺した犯人が…現場から姿を消したボディーガードの「浅香」という人物で…その正体が黒ずくめの組織の№2のRUMだという事を…羽田浩司が殺される前にダイイングメッセージで残したんだとしても…それ以上の情報が全くつかめねぇ…)

(RUM…)

コナンはキュッと唇を引き結んだ。ボディーガードの「浅香」は、事件の最重要容疑者として警察も行方を捜しているのだが、十七年経った今でも見つかっていないのだ。

(大体、「浅香」って苗字なのか？　名前なのか？　苗字だとしたら性別もわからねぇじゃねーか…。そもそも羽田浩司が飲まされた薬って何なんだ？　灰原の両親が作った薬らしいけど…その薬を復活させた灰原は、「毒なんて作ってるつもりはなかった」って言ってたし…それにあの薬をオレに飲ませた時にジンが呟いていたよな？)

薬を飲まされた時のことを思い出し、コナンは苦々しい表情を浮かべた。ジンは組織が開発した毒薬『ＡＰＴＸ４８６９』を工藤新一に飲ませた後、確かに「まだ人間には試した事がない、試作品らしいがな…」とつぶやいていたのだ。

(――って事はあの時飲まされたのは灰原が復活させた薬で、オレはその最初の１人目だったってわけか…)

毛利探偵事務所に到着し、コナンはガチャッと扉を開けた。

「ただいま――！」

毛利小五郎はデスクで、誰かと電話で話していた。

「ん？　対談？　別の探偵と？　霊魂探偵、堀田凱人？　ああ…前にいたなぁ…そんな名前の胡散臭い奴…」

どうやらマスコミから対談依頼が来ているようだ。コナンはランドセルを降ろすと、羽田浩司殺害について情報が更新されていないか、スマホを操作して確認した。

（とにかく…もっと情報を集めなきゃいけねぇけど…あの事件のサイトは削除されたっきり…しばらくアップされてねぇし…）

「あん？」

電話で話していた小五郎が、急に大声を出して、片眉を上げた。

「17年前に羽田浩司が殺されて迷宮入りした事件の真相を解き明かすだとォ!?」

（え？）

羽田浩司の名前に、コナンは驚いて振り返った。

「羽田浩司の霊を呼び出して？　そんなくだらねぇ茶番に付き合ってられっか!!　何？　今回は深夜番組の1コーナーだけど…評判がよかったらゴールデンタイムに移り俺の名前の付いた冠番組にして…MCに…沖野ヨーコちゃんを予定してる!?」

大ファンのアイドル、沖野ヨーコの名前が出たとたん、小五郎の鼻の下が伸びた。断る気満々だったのが、コロリと態度を変え、出演を快諾する。

「ん？　明日の朝、ホテルのレストランで段取説明？　OK！　OK！　んで、ギャラは？」

「………」

コナンは押し黙って、鋭く目を細めた。

翌朝、TV局との打ち合わせのため、小五郎は待ち合わせ場所のホテルのレストランへとタクシーで向かっていた。隣には打ち合わせには関係ないはずのコナンが、なぜかちゃっかり座っている。
「――ったく…何でお前がついて来るんだよ!?」
小五郎がじろっとコナンをにらむ。コナンは屈託なく反論した。
「だって蘭姉ちゃん昨夜から空手部の合宿でいないし…オジさんだけホテルで御飯なんて

ズルいよ——！」

「まぁ、飯代はＴＶ局持ちらしいけど、あんまり高ぇモン注文すんじゃねーぞ…」

「それにボクも霊魂探偵の堀田凱人に…会ってみたいしさー！　堀田凱人って亡くなった人の霊を呼び出して…親しい人しか知らないような事ズバズバ言い当てちゃうんだよね？」

「ああ…」

「行方不明だった人の骨が山の中から出て来た事もあったしさー…」

コナンが言うと、小五郎はシラけた表情になった。

「ありゃー偶然だよ…。全然別人の骨だったらしいしな…。それに、色々言い当ててたのは堀田が事前に調査してたからで…金を払って行方不明者の目撃証言をさせてた事がバレて…マスコミに叩かれまくってたけど…」

そう言うと、小五郎は腕組みをして、首をひねった。

「よくＴＶに復帰できたよなぁ…？」

（そう…）

コナンは心の中でうなずいた。堀田がイカサマ霊媒師であることくらい、コナンはもちろん知っていたのだ。

(だから今回、わざわざ昔亡くなった有名人を名指しして霊を呼び出すというなら…その事件にかかわるまだ世間に知られていない情報を…つかんだ可能性が高い…)

もしかしたら、堀田から羽田浩司に関する新情報を手に入れることができるかもしれない。コナンが小五郎の打ち合わせに無理やり同行したのは、それが狙いなのだった。

「まぁ、新たなイカサマを考えているとしてもこの眠りの小五郎が見破ってやるがな…」

小五郎がだらしのない笑みを浮かべて言う。その隣で、コナンは強い決意を抱いていた。

(是が非でもその何かを聞き出して…暴いてやる…RUMって奴の正体を!!)


小五郎とコナンがホテルのロビーで待っていると、待ち合わせ時間を少し過ぎた頃に、太った男が入り口から走ってきた。

「お待たせしました毛利さん！　朝早くからすみませんねぇ！」

「いえ、いえ…」

小五郎が愛想よく応える。

男の名前は、古栗参平。三十五歳で、でっぷりとした体形と黒いフレームのメガネが特徴的な、東都TVのディレクターだ。

「あ――！　君がコナン君だね？」

古栗はコナンがいるのに気づくと、うれしそうに顔を輝かせた。

「初めましてー！」

「知ってるよ！　キッドキラーなんだよね？」

コナンは以前に何度か、怪盗キッドと直接対決をして、キッドの狙う宝石を守りきったことがある。そのたびに新聞などで「お手柄小学生」「キッドキラー」などと騒がれ、ちょっとした有名人になりつつあるのだった。古栗もその報道を目にしていたのだろう。

「よかったら君のコメントも聞かせて欲しいけどいいかな？」

古栗にそう頼まれ、コナンは慣れた調子で「うん！」とうなずいた。

「んじゃあ、飯を食いながら打ち合わせを…」

小五郎がレストランに移動しようとするが、古栗が制止した。

「あ、その前に、堀田さんが宿泊されてる部屋に…霊を呼び出す所を一度見ておいて欲しいそうで…。では、さっそく行ってみましょう！」

そう言うと、古栗はエレベーターのボタンを押した。

「あ、ああ…」

小五郎がうなずいて後に続き、一行は堀田の部屋へと向かった。


「でも、コナン君を連れて来て正解でしたよ…」

四階でエレベーターを降り、堀田の滞在する402号室へ向かいながら、古栗が言った。

「霊を呼び出す所が多少胡散臭くても、ビックリしてる映像は撮れますから…」

「はぁ…」

小五郎があいまいな相槌を打つ。どうやらディレクターすら、堀田が胡散臭いのは承知の上で起用しているようだ。古栗は、子供のコナンなら堀田に騙されてくれるだろうと楽観的に考えているようだが――。

（このガキがビックリするとは思えんが…）

小五郎は気まずげにコナンを見た。少年探偵団の小嶋元太や円谷光彦、吉田歩美ならまだしも、コナンには、イカサマ霊媒師にビックリするようなかわいげはないだろう。

小五郎の視線に気づいたコナンは、「？」と不思議そうだ。

ピンポーン、ピンポーン。

古栗が４０２号室のチャイムを鳴らす。しかし、中からの反応はなかった。

「あれ？　おかしいなぁ…部屋にいるはずなんだけど…」

チャイムを連打してみるが、やはり誰も出てこない。

古栗は首をひねりながら、スマホを確認した。

「今朝メールで時間を確認した時に、この打ち合わせの前に誰かと会う約束をしてるってメールが返って来たから…まだ、その誰かが部屋にいるのかも…」

そう言いながら、ピ、ピ、ピ、と画面を操作してメールを確認する。

「あれ？　1時間前に堀田さんからメールが来てる…」

そう言って、新規メールを開いた古栗は、「え？」と驚いて固まった。

「『こ、殺されるっ…助けて!?』」

七時二十八分に出された堀田からのメールには、確かにそう書かれていたのだ。

メール画面をのぞきこんで、小五郎は、

「おいおい…マジか!?」

と、慌てた。

「と、とにかくボーイさんを呼んで鍵を開けてもらいますから…毛利さんは、怪しい奴が部屋から逃げないように見張っててください!!」

そう言って、古栗が駆けていく。

「あ、ああ…」

うなずいて、小五郎は『402』と書かれたドアプレートに視線を移した。客室の中からは、物音ひとつ聞こえてこない。

「まさか…これも何かの演出じゃねぇだろうな?」

シラけたように言う小五郎の隣で、コナンは「……」とドアプレートを見上げていた。

もしもこれがTVの演出ではなく、本当に堀田が何か事件に巻き込まれているのなら、緊急事態だ。一刻も早く客室の中を確認しなければならない——というのに、しばらく待っても、古栗は一向に戻ってこなかった。

「——ったく遅いなぁ…」

九時近くになったことを腕時計で確認しながら、小五郎がボヤく。

「何やってんだ？　あのディレクター…」

いらいらして待っていると、ようやく古栗が、ホテルのボーイを連れて走ってきた。

「あ、来たよ！」

コナンがいち早く気づいて指さす。

「す、すみません…説明が手間取ってしまって…」

古栗はハアハアと息を切らしながら、遅くなったことを詫びた。

ボーイが「では、開けますね…」とカードキーをドアに指し込もうとする。しかし、その時、古栗の携帯電話がピリリ、ピリリと鳴り始めた。

「あ、ちょっと待って…電話が…」

古栗は「もしもし堀田さん？　堀田さんか⁉」と慌てて電話に出たが、すぐに切ってしまった。

「すみません…間違い電話でした…」

「開けますね…」

パリン!!

ボーイがドアを開けると同時に、中でガラスの割れる音がした。

「何だ？　今の音…何かが割れたような…」

小五郎が中に入ると、床の上で皿やワイングラスが粉々になっていた。すぐそばにはテーブルと椅子があり、テーブルの上にはワインボトルが置かれている。

「ワイングラスか…さっきまで誰かがワインを飲んでたようだな…」

小五郎はさらに周囲を観察した。客室では、ガガガ……という鈍い音とともにかすかな振動が響き、床の上にはワインの染みが人の歩幅ほどの間隔で点々と続いている。

「んで、その誰かは俺達が入って来たから…驚いて皿やグラスを落とし…こぼしたワインを踏んで…奥の部屋に…」

小五郎は奥の寝室へと続くドアを開けた。

そのとたん、寝室のベランダを人影のようなものがバッと移動した。

「い、今、ベランダから誰かが逃げたぞ!!」

小五郎が慌ててベランダに駆け寄る。コナンも後を追いながら「でも、ここ4階だよ?」と指摘した。

「いや、確かに人影が…」

小五郎はベランダに出たが、すでに誰もいない。

人影は左から右へと移動していった。そしてベランダの右側の手スリの手前には、スリッパが一足脱ぎ捨てられている。よくホテルに置いてある使い捨てタイプのもので、片方の裏側にはワインの染みがついていた。

「さてはベランダ伝いに…隣の部屋に逃げやがったな!? ワインのついたスリッパも脱ぎ捨てられてるし…間違いねぇ!!」

小五郎はそう断定すると、客室に戻った。

「おいボーイさん！　隣の部屋は誰か泊まってんのか？」

「403号室ですよね？　確か一週間前から高校生ぐらいの少年が…」

ボーイの答えを聞いて、小五郎は思いっきり顔をしかめた。

「ガキが1人で、一週間もホテル暮らししてんのかよ!?」

客室では相変わらず、ガガガ……と低い音が響いている。

「ねぇ…それよりさっきから鳴ってるこの音って…」

「下の階の改修工事の音だよ！　うるさくて少し揺れるから、この周辺の部屋は割安になっているんだ…」

ボーイの答えを聞き、コナンは「へ――…」と相槌を打った。

「んで？　肝心の堀田凱人は？　どこに？」

小五郎が、客室内をキョロキョロと見回して言う。

「ベッドなんじゃない？　少し膨らんでるし…」

コナンは寝室の方を指さして言ったが、心の中では（でも、さっきから微動だにしない所をみると…恐らくもう…）と推測していた。

小五郎が、ベッドのシーツをバフッと勢いよくはぎとる。

そこには、長髪のやせた男が、目を見開いたまま絶命していた。

「⁉」

小五郎が息をのむが、コナンは予想していたので驚かず、冷静に男の遺体を観察した。

男は手足を伸ばした姿勢で横になっており、胸には刃物のようなもので刺された傷がいくつもある。口の端に、血を吐いたような痕があった。

「メッタ刺しじゃねえか…」

あまりの刺し傷の数に、小五郎は眉をひそめた。

「ほ、堀田さん？」

寝室をのぞきこみ、古栗が声を震わせる。遺体の男は堀田で間違いないようだ。

「堀田さん⁉」

と、血相を変えて遺体に近づこうとする古栗を、小五郎が腕を伸ばして止めた。

「おっと…遺体に触れるんじゃねぇぞ‼」

「じゃ、じゃあ私はフロントに戻って警察に連絡を…」

ボーイが声を震わせて、客室を出ていこうとする。

「いや、ボーイさんは古栗さんとここに残ってここから警察を呼べ！」

小五郎はそう指示を出すと、誰もいないベランダへと視線を向けた。

「もしもあの窓から犯人が戻って来たら…1人じゃ取り押さえられねぇかもしれねーからな…」

「と、取り押さえるって…」

物騒なことを言われ、ボーイの表情が不安げになる。小五郎はコナンと一緒に部屋の入り口へと走った。古栗が驚いて「も、毛利さんはどこに？」と声をかける。

「俺は隣の部屋に行って来る！　そのホテル暮らしのガキはもう殺られちまってるかもしれねぇがな…」

険しい表情で言い残し、小五郎は客室を後にした。

堀田を殺した犯人が、隣の客室に移動してそこから逃げようとしたのなら、ホテル暮らしの高校生と鉢合わせしている可能性は高い。

ピンポーン、ピンポーン。

小五郎は隣の客室のチャイムを焦って押した。

「くそっ！　返事がねぇ…」

重ねてチャイムを押す小五郎の様子を見ながら、コナンは奥歯をギリッと噛んだ。

(やはり、もう犯人に…)

そう思った矢先、ガチャッとドアが開く。

「――ったく誰だよ？　うっせーな…」

乱暴な言葉遣いで出てきたのは、なんと……世良真純だった!!

「あれ？　探偵事務所のオッサンじゃないか！」

ホテル暮らしの高校生とは、世良のことだったのだ。

「お、お前は…」

「世良…の姉ちゃん…」

小五郎とコナンが、ほぼ同時に驚きの声をあげる。

「おーー！　コナン君も一緒かー！」

と、世良はコナンに会えてうれしそうだ。

「この部屋に誰か来なかったか？」

小五郎が焦って聞くが、世良は「ん？　来てないけど…」とあっさり答えた。

しかし、堀田を殺した犯人は、この客室に逃げてきたはずなのだ。

「ホントかー？」

小五郎が、ジリッと世良に歩み寄って疑う。

「ボクしかいないって…」

世良は軽い口調で答えた。

ところが、実は、世良は嘘をついていた。
この時、中には、世良のほかにもう1人いたのだ。

ゆるいウェーブのかかった茶髪と、目の下にくっきりと浮いた隈が印象的な少女。

「……」

彼女は奥からじっと玄関の様子をうかがっていた。

世良は客室には自分しかいないと言うが、堀田を殺した犯人が潜んでいるかもしれない。ともかく中を調べさせろと、小五郎は事情を手短に説明した。

「なるほど、なるほど…」

小五郎の説明を聞いた世良は、「じゃあこういう事か？」と事件をまとめた。

「この部屋の隣の４０２号室で霊魂探偵と会う為に…ＴＶのディレクターの古栗って人と行ったけど…部屋の扉を開けた途端にワイングラスや皿が落ちて割れる音がして…駆け寄って見たらこぼれたワインを誰かが踏んだ跡が残っていた…。そのワインの跡は奥の寝室に続いていたから…その扉を開けて中へ入ったら…窓が開いていて…ベランダから誰かが逃げる姿を目撃！」

さすが探偵だけあって、世良は、今聞いたばかりの事件をかなり正確に把握している。

「そのベランダは、隣の403号室のボクの部屋のベランダと隣接していて…その誰かはベランダ伝いにボクの部屋に逃げたんじゃないかと考えた…。そうこうしてる内にその寝室のベッドが少し膨らんでいる事に気づき…布団をめくってみたら…会うはずだった霊魂探偵、堀田凱人が…メッタ刺しされてベッドに横たわっていたってワケだね？」

よどみのない世良の説明を聞き、コナンは「うん！」とうなずいた。

「だからさ、世良の姉ちゃんの部屋に怪しい人が来てないかな――って…」

「ボク1人しかいないって…」

事情を聞いても、世良の態度は変わらない。

「でもなぁ…」

と、小五郎はじれったそうに反論した。

「隣の部屋のベランダの端にワインの付いたスリッパが脱ぎ捨てられてたし…ここは4階だからお前の部屋しか逃げ場はねぇんだよ…。とにかく、部屋の中を調べさせろ！　こっそり侵入して潜んでるかもしれねぇし…」

しびれを切らした小五郎が、無理やり入ろうとする。

「誰もいないって言ってるだろ!?」

世良は客室に入られないように小五郎の前に立ちはだかった。

「そ、それより犯人の目星はついてないのか?」

「俺と会う前に誰かと会ってたみてーだから…犯人はそいつだろーけど…まあ、17年前の事件の関係者なんじゃねぇか？　堀田凱人はその事件で殺された羽田浩司の霊を呼び出すとか言ってたらしいし…」

小五郎が言うと、世良が鋭く息をのんだ。

「は…羽田…」

(浩司!!)

奥で話を盗み聞きしていた少女も、羽田浩司の名前を聞いたとたんに顔色を変える。

世良は明らかに態度を変え、小五郎に詰め寄った。

「それで!?　その探偵から事件の事何か聞いたのか？」

「い、いや…会う前だったし…」

小五郎がぽかんとして答える。

「何？　その羽田って人のコト知ってるの？」

コナンがすかさず聞くと、世良は少し冷静さを取り戻して「あ、ああ…」とうなずいた。

「将棋指しだったんだよな？」

「まぁ事件に関わりてぇんなら部屋の中を調べさせろ！　どーせ警察が来たら調べられるんだからよ！」

小五郎に言われ、世良はとうとう「わかったよ…」と折れた。

「し、下着とか出しっ放しにしてるから…少し待っててくれよな…」


片づけをすると言って引っ込んでいったきり、世良はなかなか出てこなかった。

「——ったく…片付けるのにいつまでかかってんだ？」

小五郎が腕時計を見てボヤく。古栗も心配して、世良の部屋の前で一緒に待っていた。

「あのーすみません…」

ふいに隣の４０２号室から、ボーイが顔を出した。

「フロントから連絡があったんですが…駐車場の変な場所に車が停まってるって苦情が…もしかしてお客様のどちらかの…」

「いや、俺はタクシーで来たけど…」

と、小五郎。

「あ、それ自分の車です！」

古栗が慌てて言った。

「駐車場がいっぱいだったので…後で停め直そうと思っていたのを忘れてました!!　すぐに移動させますね!!」

言い訳するように言って、古栗が走っていく。

と同時に、世良が「お待たせー！」とドアを開けた。ようやく掃除が終わったらしい。

「！」

コナンはすぐに反応して、勢いよく中に駆け込んだ。

「あ、ちょっ…」

世良が止める間もなく、一目散に奥へと進んでいく。

（とっさに身を潜めるなら…最適なのはベランダ！）

幸いなことに、世良の部屋も堀田の部屋も、同じ間取りのようだ。寝室に飛び込み、ベランダに出るガラスの戸をガラッと開けたが、そこには誰もいなかった。

（なんだけど…やっぱいねぇか…）

コナンはベランダの手スリから身を乗り出して、右隣の部屋のベランダをのぞきこんだ。

（それにしても隣のベランダにワインの付いたスリッパがあったって事は…やっぱりここに飛び移るしかねぇよなぁ…。ここは４階…飛び降りるわけにはいかないし…）

高さを確かめるように、真下へと視線を下ろす。すると、駐車場の通路をふさぐようにして、一台の車が停めてあることに気がついた。

（ん？　ベランダの真下に車が停めてある…）

見ていると、古栗が小走りに駆け寄って、運転席へと乗り込んだ。

（ああ…さっき言ってた古栗さんの車か…屋根が開閉式のオープンカーか…いい車乗ってる…。でも妙だな…）

コナンはホテルの駐車場を見渡した。古栗は「駐車場がいっぱいだった」と言っていたが、今は埋まっているのは半分ほどで、車を停める場所はまだたくさん空いていた。

（駐車場…割とスカスカなのに…何でこんな所に…？）

実は、コナンのいるベランダの真下には、先ほどの少女が隠れていた。

「……」

少女は命綱をベランダに結び、外壁のわずかなでっぱりに手をかけ、コナンが出ていくまでやり過ごそうとしていたのだ。

駐車場では、古栗が車を移動させている。

（とりあえず…写メ撮っておくか…）

コナンは駐車場の様子を撮影するため、スマホをポケットから出した。その時、一緒に蝶ネクタイ型変声機もポロリとポケットから落ちてしまったのだが、コナンは気づかない。

「……」

パシャパシャと何枚か写真を撮ってから、コナンは少し考えて膝をついた。

（一応念の為に…ベランダの裏も…）

スマホを持った腕を伸ばし、手スリの隙間に差し入れて、ベランダの真下の様子を撮影しようとする。しかし、そこには、あの少女が潜んでいた。

「!?」

突然上からスマホを握った手が伸びてきて、カメラを向けられ、少女は驚いて目を見開いた。コナンの指が今にもカメラの撮影ボタンに触れる。しかし、次の瞬間――。

「コナン君！　小五郎さんが呼んでるぞ！」

世良が、コナンに声をかけた。

「もう部屋、捜し終わったって！」

「あ、うん！」

コナンは立ち上がってスマホをしまうと、ベランダを出て入り口に向かった。そして

「お邪魔しましたー！」と行儀よく世良に挨拶をして、部屋を出ていった。

コナンが立ち去る物音を聞き、少女はブンブンと勢いをつけて手スリの上に飛び上がり、

ベランダに戻った。

「ね！　ボクが言った通り…いい勘してるだろ？　あの子！」

世良はなぜか自分のことのように自慢げだ。

「そんな事より一刻も早く事件を解決しろ！」

少女は世良をにらみつけると、カチッと腰の命綱を外した。

「この部屋を警察に調べられたら私の存在が知られてしまう…羽田浩司殺害事件の情報を嗅ぎつけて…奴らが来るその前に…」

厳しい口調で言いながら、少女はときどき、ゴホゴホと咳き込んでいた。

「うん！」

世良が元気よくうなずいて、堀田の部屋へと向かっていく。

「ん？」

少女はベランダに何かが落ちているのに気がついた。

（蝶ネクタイ？）

通報を受けてやってきたのは、目暮十三警部と高木渉刑事だった。警視庁刑事部捜査一課の刑事たちで、コナンたちとは顔なじみだ。小五郎たちの話を聞き、目暮警部は「ウーム…」とうなって、現場となった堀田の部屋を見回した。

「遺体発見の経緯はわかったが…入り口の扉を開けた途端にワイングラスや皿が落ちて割れたから…誰かが慌てて逃げたっていうのはどうにも信じられん…」

難しい顔でつぶやくと、ボーイの方へと顔を向けて聞く。

「丁度その頃この下の階の部屋で改修工事をしていて少し揺れていたんでしたよね？」

「は、はい…毎日、午前9時から工事が始まる事になっていますけど…」

ボーイの答えを聞き、目暮警部は改めて床に散らばったワイングラスや皿の破片に視線を落とした。

「毛利君達がこの部屋に入ったのが丁度午前9時頃で…グラスや皿を落ちるか落ちないかのギリギリの位置に置いていたとしたら、工事の揺れで床に…」

「じゃあ、みんなの携帯を机のギリギリに置いて試してみれば？」

コナンが提案すると、高木刑事が、

「そ、そうだね！」

とうなずく。振動で床から物が落ちるかどうかは、実験してみればいいのだ。

さっそく、全員の携帯電話を机の端ギリギリに並べてみる。

「いきますよー…」

そう言うと高木刑事はドンとテーブルを拳でたたき、振動を起こした。

すると並んだ携帯電話のいくつかは、ポロポロと床から落ちてしまった。しかし少しズレただけで、テーブルの上に載ったままのものもある。

「あれれ〜？　半分は落ちたけど半分は載ったままだよ？」

コナンが不思議そうに首をひねる。

高木刑事は「そうか！」とピンときて言った。

「揺れてもどっちにズレるかわからないから全部落ちないんだ！」

「なるほど…確率は半々でトリックには使いづらいというわけか…」

目暮警部はズレたり落ちたりした携帯電話の位置を見比べながらつぶやいた。

「工事の始まる時間がピッタリ9時とは限らんしな…」

「それならジャスト9時からだと思います…」

ボーイがおずおずと口をはさんだ。

「工事が遅れ気味でホテル側は業者さんを急かしていましたし…一度、お客様から『工事が始まるのが1分も早い』という苦情が来た事があったので…業者さんはホテルの時計に秒針まで合わせていたらしいですから…」

ボーイの説明を聞き、目暮警部は「ホー…」と感心したようにうなずいた。

一方、高木刑事は先ほど机をたたいた左手を不思議そうに眺めている。

「どうしたの？　高木刑事…」

コナンが聞くと、高木刑事は目をパチクリさせながら答えた。

「さっき机を叩いた時に、何か手に付いたみたいで…。コレ…塩かなぁ？」

(塩？)

見ると確かに、高木刑事の左手側面に小さな粒がたくさん張りついている。

世良が聞きつけて、高木刑事の手首を無遠慮につかんだ。

「へー…グラスや皿が落ちてた真上辺りの机を叩いた時に、手の小指球に塩が付いたんだ

ー…へーー…」

妙に不自然な口調で言いながら、塩のついた手をまじまじと眺める。

「世良の姉ちゃん…まるで誰かに詳しく説明してるみたい…」

コナンが指摘すると、世良は「違うよー…」と苦笑いした。

「ボクは何度も自問自答して…考えをまとめるタイプなんだ！　知らなかった？」

しかし、それは嘘だった。

コナンの指摘通り、世良は携帯電話を通して現場の状況を隣の403号室にいる少女へと伝えていたのだ。高木刑事の左手についた塩について妙に説明口調で話したのは自問自答するためなどではなく、少女に伝えるためだったのだ。狙い通り少女は、ゴホゴホ…と小さく咳をしながら、世良を通してこの状況をつぶさに把握していた。

目暮警部と高木刑事は、現場検証を続けていた。

テーブルの下で割れたグラスと、ワインの染み。机の上には、封の切られたワインボトルが置きっぱなしになっている。

「ところでこのワインはこの部屋に宿泊していた堀田さんが？」

目暮警部に聞かれ、ボーイが「はい…」とうなずいた。

「誰かと会う約束をしているとかで…ツマミやワイングラスも2人分お届けしました…」

「その誰かに心当たりはないのかね？」

視線を向けられ、古栗が慌てて「はい…」とうなずく。

一通り現場を見終えると、目暮警部はため息交じりにシャツの襟元をゆるめた。

「しかしこの部屋暑いな…」

「確かに…暖房が効き過ぎですね…」

高木刑事も、すっかり汗ばんでいる。

犯人が意図的に暖房の設定温度を上げたのだとしたら、何か狙いがあるのだろうか？

「まあ、遺体の死亡推定時刻をズラす為なら…この遺体がある寝室も…ガンガンに暖房をかけてるはずだが…」

そう言いながら、小五郎は寝室へと入った。鑑識たちが、堀田の遺体や現場を調べている。寝室の窓は遺体が発見された当時の状態のまま、開け放たれていた。

「ここは窓が開きっ放しで逆に寒いくらいだし…」

ブルッと身震いする小五郎に、目暮警部が「で?」と顔を向けた。

「本当にその窓から誰かが逃げるのを見たんだな?」

「はい! この目でしっかりと!!」

小五郎が自信満々にうなずく。

「そーいえばこの扉を開けた時、ビュ――っと風が通り過ぎたよ!」

コナンが、大人たちの会話に口をはさんだ。

「風が?」

目暮警部が怪訝そうに聞き返すと、古栗がおもむろに説明した。

「それは自分が入り口の扉を開けていたからだと…もしも不審者が部屋から出て来たら、ビデオカメラで撮ろうと思って…」

「何で閉めなかったんだね？　逃げられてしまうじゃないか!!」

「逃がさないと襲われてしまうじゃないですか!!」

すかさず古栗が言い返すと、横で聞いていた高木刑事が「確かに…」と納得した。しかし、結果的に犯人はベランダから逃げたので、部屋から出てくることはなかった。

遺体が見つかる前に現場付近で風が吹いたことを知り、目暮警部は「そうか！」とはっとして、割れたグラスの破片をのぞきこんだ。

「その風でグラスが床に…」

「いや…その寝室の扉を開ける前にもう落ちていたようなので…」

高木刑事が、目暮警部の推理をやんわりと否定する。

その横を、小五郎が落ち着きなく通り過ぎた。

（やばい、尿意が…）

どうやら小五郎は、寝室があまりに寒いので、トイレに行きたくなってしまったようだ。

一方、世良とコナンも、リビングを調べていた。

「なぁコナン君？　遺体を見つけた時、あのボーイさんもいたのか？」

世良に聞かれ、コナンは「うん！」とうなずいた。

「最初、小五郎おじさんと古栗さんとボクの3人で来たんだけど、呼び鈴鳴らしても返事がなくて…古栗さんが自分の携帯に堀田さんからメールが1時間前に来てるのに気づいて…メール見てたら…『殺される助けて』って書いてあったから、古栗さんが部屋の鍵を開けてもらう為にボーイさんを呼んだんだよ！」

「ボーイさんはすぐに開けてくれたのか？」

「うん！　開けようとしたら古栗さんの携帯が鳴って堀田さんからの電話かと思ったら…間違い電話だったみたいでそれから鍵を開けたんだよ！」

理路整然と説明すると、コナンはこれ見よがしに無邪気な笑顔を向けた。

「どう？　わかりやすく伝えられた？　誰かさんに！」

「だから誰かさんって誰だよー…」

世良がしらじらしい笑顔で言い返す。背中で組んだ手の中にはスマホを隠し持っている。

コナンは続けて、ベランダの方を指さした。

「ねぇ！　ベランダの窓の上の方が見たいんだけど…」

世良はすぐに「あ、ああ…」とコナンの言いたいことを察した。背の低いコナンは、誰かに持ち上げてもらわなければ、ベランダの窓の上部を見ることができないのだ。

二人は、鑑識のいる寝室をそーっと抜け、ベランダへと出た。

「よっと！」

世良が軽々とコナンを持ち上げる。コナンは指紋がつかないようハンカチを持って、窓枠の上の壁の様子を調べた。

「どうだい？　コナン君！」

「ちょっとベタベタしてるよ…何かが貼ってあったみたい…」

なおも調べていると、とうとう鑑識に見つかってしまった。

「コラコラ何やってんだ!!　出て行きなさい!!」

まだ遺体も残っている殺人現場を堂々とうろつく小学生と女子高生などめったにいない。

鑑識は「――ったく！」とあきれて、二人を寝室から追い出した。

しかし二人とも、まったく反省などしない。現場に残った手掛かりをもとに、すでに頭の中で推理を組み立て始めている。

「――って事は…」

世良は考えながら、腕組みをして言った。

「窓に何か貼ってて、扉を開けたら風で吹っ飛ぶようにしてたんじゃないか？　空気は温かい方から冷たい方へ流れるからさ！」

「でも、何かを貼ってたとしても、風だけじゃうまくはがれないと思うし…たとえはがれたとしても、吹っ飛んだ何かがどこかに落ちてるはずだけど…」

「まぁ…どのみち犯人は…あの古栗さんで…決まりだろうけど…」

そう言うと、世良は隈の浮いた目を細め、鋭い目つきで古栗を流し見た。

コナンも同じ意見のようで、黙って古栗に視線を送っている。まだトリックの細かい点までは見抜いていないものの、二人とも、真犯人にはとっくに目星をつけているようだ。

「うわっ!! 何だこりゃ!?」

トイレの方から、小五郎のすっとんきょうな叫び声が聞こえてきた。

「な、何か見つけたのかね!? 毛利君!!」

目暮警部が慌てて駆けつけると、小五郎が慌ただしくトイレから出てきて言った。

「あ、いや…用を足そうとトイレに入ったら…便器のフタが勝手に開いてビックリして
…」

残念ながら、何か事件に役立つ証拠を見つけたわけではないらしい。

(――ったく。現場のトイレを勝手に…)

相変わらずのへっぽこぶりに目暮警部はあきれて、じとっと小五郎をにらんだ。

「最近はこーいうの多いですよ? センサーが付いてて…近づいたら自動的に開くんです!」

高木刑事が説明するのを聞いて、コナンは「!!」と目を見開いた。

(そうか! そういう事か!!)

今の高木刑事の一言で、ようやくすべての謎が解けたのだ。

幸い、今日の殺人現場には世良が居合わせている。何かヒントになることを伝えれば、すぐにピンときて、事件の謎を解き明かしてくれるだろう。そう考え、コナンは「ねぇ、世良の姉ちゃん…」と話しかけたのだが、世良はスマホで誰かと通話中だった。

「え？　届けるって何を？」

と、真剣な表情で話しこんでいる。

のんびりしていたら犯人に逃げられてしまうかもしれない。コナンは、小五郎の手を引いて、寝室の入り口へと連れていった。

「おじさんこっちこっち！」

「あん？」

「アレなんだけど…」

コナンは寝室のドア付近からベッドの上の遺体を指さした。まんまとついてきた小五郎は、寝室をのぞきこみ「死体がどうかしたか？」と不思議そうだ。その無防備な首筋に、いつものように後ろからプスッと麻酔針を放つ。

「ほひん」

間抜けな声をもらし、小五郎は壁に寄りかかって寝室とリビングをまたぐようにして眠り込んでしまった。

(よーし！　麻酔銃で眠らせて…眠りの小五郎準備ＯＫ！)

コナンは、眠る小五郎の体の陰に隠れた。

(世良がいるから…ちょっとやべーけど…後は、蝶ネクタイ型変声機で…おっちゃんの声を使ってうまくごまかせば…)

ポケットを探り、蝶ネクタイ型変声機を取り出そうとする。しかし——。

(——って、あれ？　変声機、ねぇじゃねーか⁉)

蝶ネクタイ型変声機は、先ほど世良の部屋のベランダで落としてしまったのだが、コナンはどこで落としたのか気づいていない。
(ヤベェ…蝶ネクタイ型変声機…どこかに落としちまった‼　あれがないと眠りの小五郎の推理ショーができねえじゃねーか！　もうスタンバイＯＫなのに…)

コナンは焦っていた。小五郎には、すでに麻酔針を打ち込んでしまったのだ。このまま寝かせていては、怪しまれてしまう。

「も、毛利君…そのポーズはまさか…」

「事件が解けたんですね!!」

目暮警部と高木刑事が、小五郎の様子に気づいて近寄ってきた。二人は推理ショーが始まるのを期待してしばらく待ったが、小五郎は眠っているだけなので何も起きない。

「も、毛利さん?」

「本当に寝てるんじゃないか?」

二人は、不思議そうに小五郎をのぞきこむ。コナンは慌てて出てきて、「か、考え事してるだけじゃないかなぁ?」とごまかした。

小五郎に推理ショーをさせられない以上、やはりほかの誰かにヒントを与えて事件を解いてもらうほかないのだろうか。コナンは、焦って世良の方を見た。

(こんな事件、世良なら解けるのに…世良は古栗さんの車の事を知らねぇからな…)

世良は携帯電話を耳にあててまだ誰かと話していたが、最後に「うん！　わかった！」

とうなずいて携帯電話を切った。そして、何かをたくらんでいる子供のような笑顔で、コナンの方へと寄ってきた。

(――って…え？)

戸惑うコナンに、世良はぐっと顔を近づけて聞いた。

「助けてあげよっか？　困ってるんだろ？」

「べ、べ、別に困ってないけど…」

コナンが平静を装って答えるが、動揺して、口調がついフワフワついてしまう。

「小五郎さんはどうだ？　困ってないか？」

そう言って、世良は小五郎の方を向いた。しかし、小五郎は眠っているので、リアクションはない。

「おいおい返事しろよー…ホントに寝てるみたいだぞー…」

そう言って、世良はムニュッと小五郎の下唇を引っ張った。コナンは「わっ、ちょっ…」と大慌てで世良を止めようとする。

その時、どこからか、ふいに小五郎の声がした。

『眠りとは…周期的に繰り返す意識を喪失する生理的な状態の事…。つまり人間は睡眠中に喋る事はほぼ不可能…』

（お、おっちゃんの声…）

しかし小五郎は眠ったままだし、蝶ネクタイ型変声機は行方不明だ。はっと気づいて小五郎の体の後ろをのぞきこむと、首とワイシャツの間にスマホがはさみ込まれていた。

（く、首の後ろに…スマホ⁉）

どうやら誰かが別の場所から、このスマホを通して小五郎の声を出しているようだ。

（い…一体どこから…）

コナンが寝室を見回すと、ベランダのカーテンにコナンと同じくらいの背丈の人影が映っていた。どうやらベランダに誰かがいるらしい。人影はふんわりと癖のついた髪形をしていて、手元には蝶ネクタイ型変声機を持っているようだった。

『もちろん寝言という例外もあるが…諸君には今の私のこの言葉が…筋の通らぬ、たわけた寝言に聞こえはしまい…。まぁ、このくだらん事件の真相を見抜いた探偵の言葉として…拝聴願おうか…』

(そ、そうか！　オレの変声機を使ってカーテンの後ろから…)

驚くコナンをよそに高木刑事が「オォー！　やっぱり解けたんですね!!」と声をあげた。

「しかしいつもと口調が…」

小五郎と付き合いの長い目暮警部は、少し怪しんでいるようだ。

(くそっ！)

コナンはカーテンの後ろにいる何者かのもとへ駆け寄ろうとしたが、世良にガッと腕をつかまれてしまった。

「シ——ッ。邪魔しちゃダメ…」

世良が人差し指を立てて言う。

カーテンの後ろに隠れベランダで推理をしているのは、世良の部屋にいた少女だった。

『長話は好きではないので結論から言うぞ…。霊魂探偵・堀田某をベッドで刺殺し…私とこの部屋を訪れた際にあたかも殺人犯が逃走したかのように見せかけたのは…古栗というTVディレクターだ！』

いきなり自分の名前を告げられ、古栗はぎょっとしたように身をすくめた。目暮警部も高木刑事も度肝を抜かれ、「ええっ!?」と声をそろえて叫んだ。

「し、しかし、君は言ってたじゃないか！」

目暮警部が当惑して言う。

「入り口の扉を開けた途端にワイングラスや皿が床に落ち…そのこぼれたワインを踏んだ跡を辿って奥の寝室の扉を開けたら、誰かが窓から逃げるのが見えたって！　確かにその時、下の階で改修工事をしていて少し揺れたかもしれんが、食器が落ちる確率は半々でトリックには使いづらいと…」

『100%だ！』

小五郎が、ぴしゃりと言った。

『落ちない可能性は万に一つもない…』

強気な言い方に、「ま、万に一つもって…」と高木刑事は引き気味だ。

そこへ、ホテルのボーイがトレイを持って入ってきた。

「あのー…ワイングラスとワインボトルと皿と塩をお持ちしました…捜査に使うとかで毛利探偵が…」

どうやら小五郎は、犯人がグラスや皿を落としたトリックを再現するため、ボーイに必要な材料の手配を頼んでいたようだ。

『まずは机の上の落ちるか落ちないかのギリギリの位置に皿を置き…その皿の横に塩を大量に盛れ！　盛るのは机の中央側…その塩の上にワイングラスを立てろ…皿の方に傾くように…』

小五郎の指示に従って、高木刑事は机の上に皿やワイングラスをセットした。皿の横に塩を盛り、塩の上でバランスを取るようにして、ワイングラスを斜めに立たせる。

まるでトランプのタワーを立てていくような、繊細な作業だ。

『立ったら吹いて塩を飛ばせ…倒れない程度に弱く…』

小五郎の指示に従い、高木刑事はふーっと塩を吹き飛ばした。余計な塩が吹き飛んだ後も、ワイングラスは見えない糸でつられているかのように、斜めに立ったままバランスを保っている。

高木刑事は思わず「すごい!!」と声を弾ませた。

「た、立ってる…」

と、目暮警部も感心しているようだ。

『そう…グラスを立たせているのは、少量の塩粒だけだという事だ…。後は、グラスの底にくっつくようにボトルを立て…ドンと机を揺らせばバランスを崩し…グラスはボトルに遮られて否が応でも皿の方に倒れ…皿と共に床に落ちるという流れだ…』

高木刑事が、ドン！　と机をたたいてみる。

机の中央側にはワインボトルが置いてあるため、ワイングラスは皿の方へと倒れた。皿は机の端ぎりぎりのところに置かれていたため、ワイングラスの重さを支えきれず、もろとも床に落ちてしまう。

『その落下位置に、あらかじめ割れた皿やグラスを置いておけば…落ちて当たった衝撃で割れて音もするし…ワインもこぼしておき、そのワインを踏んだ足跡を寝室につなげておけば…犯人が慌てて寝室に逃げ込んだように見せかけられる…』

ワインを踏んだ足跡は、最初から用意されていたものだったのだ。

少女は、小五郎の声を出しながら、よどみのない口調で推理を続けた。

『さらに、この部屋の暖房を強くし寝室との温度差を作ったのは…寝室の扉を開けた時に風を通り抜けさせて…机に残った小さな塩粒の山を崩す為だ…。たとえ少量でも、グラスの底の跡が残ったその塩の山を後で警察に見つけられたら…トリックがバレかねないと危惧してな…』

コナンは「……」と沈黙し、小五郎の声の出どころである首の後ろのスマホを見つめた。

「そ、そうか！　その風を使って…寝室の窓枠に貼っておいた何かを吹っ飛ばし、誰かが逃げたように錯覚させたんですね!!」

高木刑事がはっとして言うが、『馬鹿か、お前は…』と一蹴されてしまう。

『想像してみろ！　風だけで窓枠に貼った何かがきれいにはがれて吹っ飛ぶわけがなかろう!!』

「バ、バカ…」

ストレートに言われ、高木刑事は唖然としてしまった。

『仮にはがれたとしても、吹っ飛んだ何かが誰の目にも触れずに消え失せたとでも言うのか？』

と、少女は小五郎の声で、高木刑事に追い打ちをかける。

目暮警部がじれったそうに「じゃあ、どうやって？」と先を促した。

『細い釣り糸を扉に付けていたのだよ…私が扉を開けたら外れるように細工をして…。つまり寝室の窓枠にカーテンと同じ色の布を貼っておき、その釣り糸を通してテープで固定し…その通した釣り糸の先に重りを付けて…ベランダの手スリから外に垂らせば…』

推理を聞きながら、一同はトリックの仕掛けられた部屋を想像した。寝室の窓には、まるで目隠しをするかのように、窓枠いっぱいに布が貼られている。ベランダの手スリには、重りがぶら下がっており、重り・窓枠の布・寝室の扉は、一本の糸で結ばれている。

そこへ、小五郎が寝室の扉を開けて入ってくる――。

『扉を開けて釣り糸が外れれば…貼ってあった布が重りではがれて落下し…あたかも誰かがベランダを横切って逃げたと錯覚させる、くだらんトリックだ！』

小五郎が断定するが、世良は「でもさ、」と横やりを入れた。

「その落ちた布…誰かに見つかっちゃうんじゃないか？」

『真純…お前は見てないだろうが…』

コナンは（真純？）と内心で違和感を覚えた。

世良を下の名前で呼ぶということは、少女と世良はかなり親しい関係なのだろうか。

『古栗はベランダの真下に自分の車を停めていたのだ…屋根が開閉するオープンカーをな！　開閉するスイッチは、業者に頼めば簡単に車のキーに付けてくれる…。そのボタンを押したままの状態でテープで固定し…ベランダから垂らした重りに付けておけば…布が車に落ちると同時に屋根が閉まり…奇妙な位置に停められた車だけが残るというワケだ！』

駐車場がスカスカだったにもかかわらず、古栗の車が変な位置に停められていたのは、布を回収するためだったのだ。

『ちなみに、このトリックは改修工事が始まる午前9時丁度に私をこの部屋に入れなければ成立しない…9時1分前に自分の携帯が鳴るようにセットしたのはその為だ…ボーイがマスターキーで扉を開ける頃合を操作できるからな…。被害者からの助けを請うメールを1時間前にしたのなら、恐らく殺したのもその時間…地震が多いこの国で、何時間もあの塩のトリックを放置しておくわけにはいかんからな…』

古栗の表情が、みるみるこわばっていく。

少女は、淡々と推理を続けた。

『…だとしたら彼の車の中にまだあるはずだよ…。トリックの重りや布はもちろん…堀田某をメッタ刺しにした凶器や…返り血まみれの衣服がな…』

とうとう古栗は、ズッとその場に座り込んでしまった。

「あぁ…血みどろの服、車のトランクにまだ入ってますよ…妹の遺体を見せ物にしやがったあの男を殺したナイフと一緒に…」

自分を犯人だと認め、古栗は力なくつぶやいた。どうやら、古栗は、堀田になんらかの恨みを抱いていたようだ。

「妹の遺体？」

と、目暮警部が聞くと、古栗は悲しげに語り始めた。

「数年前、ある山で妹は自殺をしたんです…。遺書には失恋のショックに耐えかねて首を吊ると書かれていたけど…いくら捜しても遺体は見つからなかった…」

古栗の目には、涙が浮かんでいた。

「…なのにＴＶの番組の中で堀田凱人はその山で…『捜索中の人物とは別の死の臭いがする』って言い出して…土の中から妹の遺体を発見したんです…。この意味わかりますか!?

あの男は首を吊った妹を発見したにもかかわらず、警察に通報もせずに土に埋めたんだ!!

自分の霊力を信じさせる為の演出として!!」

激しく叫ぶと、古栗は、「だ、だから…私は…私は…」と言葉を詰まらせてしまった。

動機を話す古栗に、世良は気を取られているようだ。

コナンは「……」と世良の様子をうかがって隙をつき、ダッと駆け出した。

「あ…!」

世良がはっと気づいた時には、コナンはすでに世良の手の届かない位置にいる。コナンはそのまま寝室を抜けベランダに出た。少女はここで推理をしていたはずだが、一足遅かったのか、もう誰もいない。コナンの蝶ネクタイ型変声機だけが、ぽつんと落ちていた。

（くっそー！）

コナンはいまいましそうに、蝶ネクタイ型変声機を拾い上げた。

(隣の部屋に戻りやがったな…)

そのころ、古栗は高木刑事に腕を引かれ、連行されようとしていた。

「さぁ…後は警察で…」

しかし、古栗は動こうとしない。

「ま、まだだ…報告しないと…妹の墓に…お前の死を辱めた男を懲らしめてやったって
…」

つぶやくと古栗は「ウォオオオオ!」と叫び声をあげ、高木刑事を振り切って走り出した。

世良は小五郎に仕掛けたスマホを回収しようとしていたので、とっさに反応することができない。古栗は、コナンのいるベランダへと飛び出した。手スリを乗り越えて隣の部屋へ移ろうとしていたコナンは、突然現れた古栗に「な!?」と驚いた。

「お、おい!?」

止める間もなく、古栗は手スリを乗り越えて、隣の世良の部屋へと逃げていく。

（やべ!!　隣に!?）

コナンは慌てて後を追おうとするが、体が小さいのですぐには手スリを乗り越えることができない。

世良の部屋へと入った古栗は、室内にいた少女と鉢合わせていた。

「な、何だお前…どけぇ!!」

古栗は興奮して、少女に突進する。

少女は冷酷に、古栗の動きを見極めた。

世良の部屋のベランダへと飛び移ったコナンは、床の上に倒れている古栗を見つけた。
（し、死んでる!?）
コナンは駆け寄ると、急いで古栗の脈を確認した。
（いや…急所を的確に突いて意識を刈り取ったんだ…オレが駆けつける数秒の間に…シー

クレットサービス並みの早技で…）

死んだと思ったのは、早とちりだったらしい。しかし、コナンが部屋に入るまでのほんのわずかな時間に大柄な古栗をしとめるとは、いったい誰の仕業だろう。

（これをやったのは間違いなく…あの領域外の…）

コナンが思い浮かべたのは、世良の部屋にいるはずのあの少女だ。

その時、世良も古栗を追いかけて、「ママ!?」と誰かに呼びかけながら部屋の中に入ってきた。

（え？）

コナンが驚いて視線を向ける。世良は「あ、いやコナン君…」とごまかすと、しらじらしくほほえんだ。

「大丈夫か？」

「う、うん…」

世良はおそらく、部屋にいる少女を心配してやってきたのだろう。つまり、どう見ても年下にしか見えないあの少女を『ママ』と呼んだことになる。

（ママ…だと？）

いったいどういうことなのだろう。あの少女は、世良の母親なのだろうか？

古栗は無事に目を覚まし、高木刑事によって連行されていった。

ようやく部外者のいなくなった部屋の中で、世良はほっとしたように表情をゆるめた。

「しっかし、さすがママだね！　コナン君の蝶ネクタイのメカ！　すぐに使いこなしちゃうなんてさ！」

「ああ…ダイヤルに印が付けられていたからな…」

少女はクールに言った。

「あの探偵の声を頻繁に使っていたのだろう…。それにしても…あんな簡単な操作で色々な人物の声が自在に出せるとは…。様々な場面での使用が想像できて…心が躍るな…」

無表情に言う少女に向かって、世良は内心で（心が躍るって顔してないけど…）と突っ込みを入れた。

「で？　堀田が入手した情報は何かわかったか？」

「連行される前に古栗って人が言ってたよ…。姿を消したボディーガードの浅香が、あの手鏡を持ってる所を見た人がいて…浅香は女だって事を堀田がつかんだみたいだって…。羽田浩司の霊を呼び出して『女だ〜〜っ、女に殺されるー』って叫ぶつもりだったたってね！」

「そんな事か…くだらん…」

つまらなそうに言うと、少女は世良に背を向けた。

「それより荷作りをしろ！　根城を変える…」

「え？　もう!?　せっかくコナン君にホテル教えられてラッキーって思ってたのに…」

不満げに言う世良をじろっとにらみ、少女はどこか芝居がかった口調で言った。

「暗がりに鬼を繋ぐが如く…江戸川コナンに気を許すな…。十年前に会ったあのボウヤとはまるで別人なのだから…」

「う、うん…」

世良は、まるで母親に叱られた子供のような顔でうなずいた。

さざ波の魔法使い

DETECTIVE CONAN

AKAI FAMILY SELECTION

10年前…。

夏真っ盛りのビーチは、ほどよく混み合っていた。天気は快晴。海で泳いだり砂浜で遊んだりと、たくさんの人々が夏を楽しんでいる。

パラソルの陰で、迷彩柄の海パン姿の男がビーチチェアに寝そべっていた。サングラスをかけて黒いキャップをかぶっているので、人相はよくわからないが、それでも整った顔立ちであることは明らかだ。長い足を気だるげに組んで、くつろいでいる。

「久し振りだね…秀一兄さん…」

パーカーを羽織った少年に声をかけられ、男は「ああ…」と返事をした。

「7年振りか…大きくなったな、秀吉…。高校3年生になるのかな？」

男は、まだ二十代の赤井秀一だった。

赤井に声をかけてきたのは、十八歳にしてすでにプロ棋士として活動中の世良秀吉だ。

秀吉は自分の背後に隠れた、小さな女の子の方を振り返った。

「ホラ、お前も挨拶しろよ！　会うの初めてだろ？」

「は、初めまして…。真純だよ…」

女の子が秀吉の後ろに隠れるようにしながら、恥ずかしそうに自己紹介する。世良真純は兄である赤井秀一に、この時初めて会ったのだった。

「ん？　誰だ？　そのガキ…」

自分の妹に初めて会ったにもかかわらず、赤井の反応は冷たい。秀吉は「妹だよ！」とフォローした。

「メールで写真送っただろ？」

「そういやぁ俺が渡米する前、母さんの腹が膨らんでたな…」

赤井の口調は、どうでもよさそうだ。

「それよりメアリー母さんは？」

秀吉がきょろきょろとあたりを見回して聞く。

「兄さんのホテルに迎えに行って、一緒にここへ来たんじゃないの？」

「ホテルで母さんとちょっとやり合ってな…母さんの手刀を目に受けて…お陰でこのザマだ…」

赤井は体を起こして、おもむろにサングラスを外した。すると、左目を縦断するようにして、くっきりとしたアザができている。どうやら、かなり激しい親子喧嘩を繰り広げたようだ。

「俺も二、三発食らわしたから…今頃氷で冷やしてるんじゃないか？」

「頭を冷やすのは貴方の方よ…」

不機嫌そうに口をはさんだのは、赤井たちの母・メアリーだった。ビキニの上から黒いシャツを羽織り、帽子とサングラスで顔を隠している。サングラスのレンズの向こうには、隈の浮いた目がうっすらと透け、目の周囲にはひどいアザが浮いていた。

「アメリカで勉強したいって言うから留学させたのに…実は『父の事件の真相を探りに行ってた』ですって？　しかも大学を卒業したらFBIに入るだなんて…まるで死神に魅入られた幼稚な子供のよう…」

「グリーンカードもアメリカ国籍も取った…。後は、3年の職務経験を積み筆記試験と体力テストにパスするだけ…問題はないさ…」

そう言うと、赤井は頭の後ろで腕を組み、再びビーチチェアに寝そべった。

「まあ、右側通行に慣れなくて運転免許を取るのには手間取ったよ…。元いた国も日本も左側通行だったからな…」

「生活費はどうする気？　そんな馬鹿な事を言う人に仕送りすると思ってるの？」

「心配無用さ…。割のいいアルバイトを見つけたんでね…FBIに入るまではそれで食い繋げる…」

赤井は家族に内緒で、FBIに入るための準備を着々と進めていたらしい。メアリーはあきれ返って、「まったく…」とため息をついた。

「せっかく貴方を日本に戻す為に海水浴に誘ったのに…。まあ、この平和な景色を眺めながら頭を冷やして思い出しなさい…。主人が死ぬ前…この安全な国に私達を送った時に言った言葉を…」

メアリーは、海水浴客でいっぱいの平和なビーチを見やりながら続けた。

「『いいか、この先、私はいないものと思え…どうやら私はとんでもない奴らを敵に回してしまったようだ…』――っていうあのメールをね…」

そう言い残すと、メアリーはくるりと赤井に背を向け、去っていってしまう。

その背中に向かって、赤井は心の中で問いかけた。

（母さんこそ忘れてるんじゃないのか？　父の遺体はまだ発見されていないって事を…）


「じゃあ僕らは海の家で…焼きソバでも食べよっか！」

秀吉に手を引かれ、真純は「うん！」と元気よくうなずいた。

でも、本当は焼きソバなんかより、やっと会えた兄の方がもっとずっと気になっているのだ。真純はそっと赤井の方を振り返った。

（初めて会うもう1人のお兄ちゃん…吉兄ちゃんとは違って…全然笑わないお兄ちゃん…）

赤井はポーカーフェイスで、メアリーと言い争っている間も少しも表情を変えなかった。

（笑った顔が見てみたい…）

そう思った真純は、なんとかして赤井を笑わせることにした。

（よーし！）

まずは、驚かせてみよう！

ものすごくびっくりしたら、クールな赤井もきっと笑うはずだ。

真純は秀吉に手伝ってもらって、赤井のいるパラソルの上によじのぼった。「んしょ、んしょ…」とパラソルの上を這って移動して、端の方までにじり寄ると、パラソルの下に寝そべっている赤井に向かって「ばぁ！」と顔をのぞかせる。

これなら絶対、笑ってくれると思ったのだけど——。

「秀吉！　何させてんだ？　危ないだろ…」

赤井はにこりともしないどころか、真純をスルーして秀吉の方に話しかけた。

「ゴメン…真純がパラソルの上に乗りたいっていうから…」

秀吉が苦笑いする。

（ダメだ、笑わない…）

真純は驚かせ作戦はあきらめて、別の戦法を取ることにした。

（よーし、だったら…体育の先生に教わった…）

「よっ！」

真純が披露したのは、側転だった。

「と！　た！　て！」

勢いをつけてくるくると回り、赤井の目の前で技を披露する。しかし、途中でバランスを崩して、ズザッと背中から砂浜の上に倒れこんでしまった。

「エヘヘ♡」

照れ隠しに笑ってみるが、赤井は「ふぁ…」とあくびをするばかりだ。

（これもダメかー…）

赤井はなかなか手ごわいようだ。真純は、きゅっと表情を引き締めて、海の家の売店の方を見つめた。そこには「フライドポテト　３００円」と看板が出ている。

（んじゃとっておき…）

真純は、一番の自信作で赤井を笑わせることにした。

（クラスのみんなも大爆笑！　これで笑わない人はいないはず…）

真純のとっておき――それは、鼻の穴にフライドポテトを詰めること。

口にもたくさんフライドポテトをくわえ、「いーーーっ♡」と歯をむき出しにした変な顔で、赤井の前に飛び出す。

しかし赤井はまったく笑わず、「食べ物で遊ぶな…」と冷たく言い放った。

（ウソ…これもダメ？）

ついに万策尽きてしまった。鼻の穴にフライドポテトを詰めたまま呆然としていると、

「コラ！」とメアリーに見つかって怒られてしまった。

「何やってんの？　真純！」

「ママ…」

「女の子なのに、もう…鼻の下にチップスの塩が付いちゃってるじゃない！」

メアリーが、ハンカチで真純の顔を優しく拭いてくれる。真純が「ご、ごめんなさい…」と素直に謝っていると、通りすがりの女性が声をかけてきた。

「あら…イギリスじゃそういうジョークが流行ってるの？」

黒いハットをかぶり、メガネをかけた若い女性――工藤新一の母、工藤有希子だ。

「え？」

驚いて顔を向けたメアリーに、有希子は「イギリスの方ですよね？」と微笑みかけた。

「ジャガイモを拍子木切りにして油で揚げて塩をふった物を、日本じゃフライドポテト…アメリカじゃフレンチフライズ…。それをチップスって言うのは…フィッシュ&チップスの国イギリスかなって…」

「……」

メアリーは無言で、警戒するように有希子を見た。

「それよりウチの子見ませんでした？　緑の海パンを穿いた男の子で、その子ぐらいの女の子と一緒だと思うんですけど…」

有希子に聞かれ、メアリーは「さあ…」とよそよそしく顔を背けた。まるで、他人と関わり合うことを避けようとしているかのようだ。

そっけないメアリーの態度に、有希子は気を悪くした様子も見せず、

「――ったく、どこに行っちゃったのよ？」

と、ぶつぶつ言いながら、新一を探して去っていった。

二人の会話を聞いていた赤井が、「フン…」とバカにしたように鼻を鳴らす。

「とんだ安全な国だな…。今のような一般人にも…言葉遣いだけで母国がバレてしまう…。この世に安全な国なんてないんだよ、母さん…」

悟ったように言い、赤井は空を見上げて続けた。

「なーに心配するな…。父を消した奴らに俺の正体がバレる前に、奴らを1人残らず地獄の底に…」

「バレバレだよ！」

突然、幼い声が口をはさんできた。

赤井もメアリーも真純も、（え？）と驚いて顔を向ける。そこには、小さな男の子が、赤井の方をびしっと指さして立っていた。まだ七歳の、工藤新一だ。

「お兄さんの正体がピエロだって事はな!!」

新一はまるで名探偵のような口調でそう続けた。

（ピ、ピエロ？）

赤井家の三人が、キョトンとして固まる。

「だってお兄さん、話聞いてたら…色んな国をいーっぱい回ってるんでしょ？　そんな人はボクが知るかぎり…サーカスの人しかいない!!」

新一は再び、赤井に指を向けて続けた。

「それにお兄さんの左手を見て…ピーンときたよ！　その左手の手首の甲の方に付いた…アザを見てね！」

確かに赤井の手首には、数センチほどの幅のアザができている。

「それはアコーディオンって楽器を使う人によくできるアザ…。空気を出し入れしながらボタンを押すから、ベルトで擦れてそこにアザができるって父さんが言ってたし…サーカスのショーの途中によくピエロがアコーディオン弾いてるし…。それにそれに、サーカスにはクラウンって道化師がいっぱいいるけど…その中でも縦に筋を入れて涙の化粧をするのはピエロだけ！　お兄さんの左目にも…その涙の化粧の跡が残ってるじゃない！」

赤井の目についているのは化粧の跡ではなく、母親との喧嘩でつけられたアザなのだが、そうとは知らない新一は自信満々に推理を締めくくった。

「多分、早くこの海で遊びたくて慌てて消し忘れたんだろーけど…。ボクの目はごまかせない！　お兄さんはピエロだ!!　違いますか!?」

「フ…」

赤井はゆっくりと体を起こすと、「ハハハハハハハハ!!」と口を大きく開けて笑った。

（わ、笑った!!）

初めて赤井の笑った顔を見て、真純の頰がぽっと赤く染まる。

「確かに俺は3つの国を渡っているが…サーカスの団員ではない…」

赤井が言うと、新一は「え？　そなの？」と戸惑った。

「でないと旅行好きな人は全て…サーカスの団員になってしまうだろ？」

「あー、そっか！」

新一は素直に納得する。

赤井は自分の手首を持ち上げて、新一に指摘されたアザに視線を落とした。

「このアコーディオンのアザに気付いたのはよかったが…これは酒場で客にリクエストされた曲を伴奏する時にできたアザ…。バイトにしてはいい金になる…」

楽しげに言うと、赤井はサングラスを外した。

「そして左目のコレは涙の化粧ではなく…さっき乱暴な母に付けられたアザ…」

言いながら赤井がメアリーを見やるとメアリーは、むっとしたように唇を結んだ。

しかし赤井は母親のことなど気にも留めず、新一の方へと顔を向けた。

「君は何者なんだい？」

「ボ、ボクは…」

新一は、緊張したように顔を赤くして、ひといきに言った。

「工藤新一！　シャ…シャーロックホームズの弟子だ!!」

横で聞いていた真純は、（ホ、ホームズの弟子？）と驚いて、新一の顔をまじまじと見つめた。新一と同じく、シャーロックホームズファンの赤井は、なんだかうれしそうだ。

その時、同じ年くらいの浮輪を持った女の子が、走り寄ってきて新一に声をかけた。

「あ――新一！　こんなトコにいたー！　お母さんが捜してたよ――！」

「蘭！」

「またホームズゴッコしてたんでしょー？」

毛利蘭に言われ、新一は心外そうに「ゴッコじゃねーよ！」と言い返した。

「名探偵になる為の修行だ！」

「でも、ほどほどにしとかないと、その内ヒドい目にあうよ！　さっきのお兄さん達すっごく怒ってたし…」

「怒らせとけよ、あんな奴ら…」

言い合う新一と蘭の背後に、突然日に焼けた金髪の男がぬっと立った。

「小僧…やっと見つけたぞ…さっきはよくも恥をかかせてくれたなぁ…」

そう言って、ポキポキと指の骨を鳴らす。金髪男の背後には、もう二人、太った男と色白の男もいる。三人とも、眉を細く整えあごひげを生やしていて、いかにも柄が悪そうだ。

「あれはオメーらが悪いんだよ…」

大人を相手にしても新一はまったくひるまず、むしろシラけたように言い返した。

「ほとんど食べ終わった焼きソバにハエを入れて…大騒ぎしてお金払わずに帰ろうとしたから…」

金髪男は、いまいましげに新一の頭をグイッとつかんだ。

「お前がチクんなきゃ…バレなかったんだよ！」

シュッ！

赤井が突然、金髪男の目の前に、手刀を突き出した。

男がぎょっとして体を引く。赤井は新一を守るように立ちはだかると、低い声で凄んだ。

「悪いがこのボウヤは俺の連れでね…ボウヤに話があるのなら俺を通してからにしてくれ…。まあ、両目をえぐられた後でいいなら…いくらでも話を聞くぞ…」

赤井の底知れぬ迫力に気おされ、男たちは「し、失礼しました～!!」と一目散に逃げ出してしまった。

「すご――い！　今の技って何？」

蘭が無邪気な笑顔で、赤井に聞く。

「フィンガージャブ！　日本でいう目潰しだ…截拳道の技の一つだよ…」

どうやら赤井は中国武術・截拳道の使い手らしい。腕前はかなりのもののようだ。

(フィンガージャブ…ジークンドー!!　かっこいい――♡)

あっという間に男たちを追い払った兄の姿を見て、真純はすっかり興奮していた。真純だけでなく、ビーチにいた女性たちも赤井に熱い視線を送っている。しかし、赤井はどこ吹く風で、新一と蘭の頭に手を置いて言った。

「ボウヤ達！　スマンが妹の相手をしてやってくれないか？　どうやら妹は友達が欲しいらしい…」

「いいけど…」

新一が真純の方を見て言う。

その時、背後でキィイ……と何かタイヤが軋むような音がした。続けて、ガン！　という大きな物音。振り返ると、ビーチから少し離れた場所にある崖から、車がガードレールを突き破って飛び出していた。

ザッパァン!!

車は水しぶきを上げて、海の中に突っ込んだ。海で遊んでいた海水浴客たちが、大慌てで岸へと上がる。

(何!?)

新一は驚いて、立ち尽くした。

「く、車が…」

「海に落ちた!?」

「マ、マジかよ!?」

突然の出来事に、ビーチの海水浴客たちは、何が起きたのか理解できずにいた。

いち早く反応したのは、赤井秀一だ。

タッと走るやザブッと海に飛び込んでもぐり、落ちた車へと近づく。

車は落下した時の勢いで、海底に激突していた。運転席には、長く伸ばした茶髪を一つに束ねた男が前のめりに座っている。額から出血しており、フロントガラスには細かなヒビが入っていた。

(車がガードレールに激突した弾みで、フロントガラスに頭を強打している…。シートベルトをしていなかったのか…)

赤井は運転席のドアを開け、男の状態を確かめた。

（首の骨も折れているようだ…。もう助からんな…）

男を抱え上げようとして、ふと、後部座席に何か置いてあるのに気が付く。

（ん？　後部座席に…バッグ…。ブランド物の腕時計が大量に…。まだ値札が付いている
な…）

車内にはこの男のほかに人の姿はない。とすると、腕時計は男のものだろうか？

（!?）

念のために車内を見回して、赤井は目を見開いた。

（助手席側のサイドウインドウが開いている…どうやら乗客は…もう1人いたようだ…）

新一と蘭は緊張して、海の中に飛び込んだきり、なかなか出てこない赤井が戻ってくる
のを待っていた。
ボコボコ……。
海面に泡が立ち、二人がハッとする。次の瞬間、赤井がザパッと浮かび上がってきた。

「あ――、お兄さん戻って来た！」

蘭がほっとしたように言う。

赤井は「ふぅ…」と息をつき、男を抱えながら海の中をザブザブと歩いて砂浜までたどりついた。後部座席に置いてあったバッグは、しっかり回収して肩からさげている。

「ねえ…その人助かるの？」

新一に聞かれ、赤井は「その可能性はもうない…」とストレートに答えた。

「そのバッグは？」

「この男が何者かを探る為の手掛かりさ…」

そう言うと、赤井は声をひそめて続けた。

「それより、海の家で水着とかを売っているコーナーがあっただろ？　そこへ行って、車が落ちた後、ずぶ濡れでTシャツや水着やビーチサンダルとかを買いに来た客がいないか聞いてきてくれ…。どうやら車にはもう1人乗っていて、車から抜け出し…海水浴客に紛れ込んでいるようだ…」

助手席の窓が開いていたのは、車に乗っていた誰かがそこから脱出したためだったのだ。

赤井が車を調べた時には、周囲にそれらしい人間の姿は見えなかったが、車ごと海に落ちたのだから当然ずぶ濡れで砂浜に上がったはずだ。

赤井は新一とまっすぐに目を合わせた。

「できるか？　ホームズの弟子君？」

「うん、もちろん！」

力強くうなずいて、新一が海の家へと走っていく。

赤井は続けて、蘭の方に顔を向けた。

「君はここへ、あのボウヤと2人で来たのかい？」

「ううん、新一のお母さんと一緒だよ？」

「じゃあそのお母さんに、警察に電話するように言ってくれないか？　車が海に落ちて大変だって…」

「いいよー！」

蘭はうなずくと、「新一のお母さーん！」と有希子を探して人ごみの中を駆けていった。

「ボ、ボクは…」

真純は慌てて、赤井に声をかけた。

新一も蘭も、赤井を手伝っている。真純だって、兄の力になりたい。

「ボクは何をやったらいい？　ボクにも何か手伝わせて！」

必死に頼み込むと、赤井は「そうだな…」と少し考えた。

「駐車場のおじさんに、濡れた服や水着を着たまま外へ出ようとしている客がいたら引き止めるように言ってくれ…。もしかしたら悪い奴の仲間かもしれないからって…。頼めるか？」

「うん！」

元気よく返事をすると、真純ははりきって、駐車場へと向かった。


赤井に託された任務遂行のため、新一は海の家にいた店員を捕まえて、一生懸命に質問を繰り返していた。

「ねえ、覚えてない？　ついさっきTシャツとかを買いに来た人！　車が海にドボーーンって落ちた後でさ！」

「さあ…2、3人いたと思うけど…顔までは…」

若い店員が困ったように首をひねる。

なんとか思い出してもらおうと、新一はさらに質問を重ねた。

「髪とかグッショリ濡れてた人いなかった？」

「そりゃーみんな濡れてるよ…。海水浴に来てんだから！」

店員の返答は、どうもハッキリしない。

らちが明かず、新一が困っていると、

「3人いたと思うよ！」

と、土産物売り場にいた客が口をはさんだ。

「え？」

新一が驚いて振り返ると、秀吉が『漣』と書かれた渋いTシャツを手にして立っていた。

「しばらくこの店で…このTシャツを買おうかどうか迷ってたから…。ボク、将棋をやっててさ…覚えるの得意だから！」

そう言って、秀吉は右手でメガネをかけ、にっこりと人のよさそうな笑みを浮かべた。

有希子の通報を受けてやってきたのは、太眉でメガネをかけた中年太りの男性刑事だった。

刑事は有希子から事情を聴きながら、砂浜に横たわった遺体を確認し、「ホー……」とうなずいた。

「あの崖のガードレールを突き破って…車が海に転落したと？」

「ええ…」

「んで、この男がその車の運転手で…車からあんたが引き上げて、我々警察に通報したわけか…」

「あ、いえ通報したのは私ですけど…引き上げたのは彼で…」

そう言って有希子は、後ろにいる赤井の方を振り返った。

「誰だい？　あんた…」

刑事が不審そうに赤井をにらむ。赤井は手短に説明した。

「アメリカの大学に通ってる、ただの留学生ですよ…。今日は日本に久し振りに帰って来て、家族とここへ…」

「しかし本当なのか？　通報ではその車にもう1人乗ってたそうだが…」

遺体は一人しか見つかっていないので、刑事は不審げだ。

有希子の後ろに隠れていた蘭が、すかさず「そのお兄さんがそう言ってたもん！」と口をはさんだ。

「助手席側のサイドウインドウだけ全開になっていたから、そう思ったんです…。あの車は右ハンドル、乗っていたのが1人なら、助手席側の窓だけ開けるのは不自然だから…。恐らくそのもう1人は、海水で車内が一杯になる前にウインドウを開け車外へ脱出し…海水浴客に紛れたかと…」

赤井の説明を聞いて、刑事は不思議そうに眉を寄せた。

「だが、わざわざ窓から出なくてもドアを開ければ…」

「水圧ですよ…。車が水没した直後なら車内にまだ空気があり…水圧でドアが開かなかったから窓からの脱出を選んだって所でしょう…」

「じゃあ、そいつはこの連れを見捨てて逃げたってわけか…」

刑事が、遺体となった男に気の毒そうな視線を送る。

しかし、赤井は「いや…」と否定した。

「この男はシートベルトをしていなかった…。だから車がガードレールに激突した反動で頭部をフロントガラスに強打し…頸椎骨折で即死…。水没した直後、呼んでも返事がなかったから、自分だけ車から脱出したと考えるのが妥当でしょう…」

「でも、だったら何で海水浴客のフリを…事故に遭った被害者なら堂々としてれば…」

「身を隠さねばならない理由が…あったから…」

意味深につぶやくと、赤井は続けざまに聞いた。

「この近辺の時計を扱う店で…強盗事件なんてありませんでした？」

刑事の口がぽかんと開いた。

「え？　た、確かに…1時間ぐらい前1キロ先の時計店に2人組の強盗が入ったという通報があったが…まだ、ネットのニュースにもなっていない事件を何であんたが⁉」

「沈んだ車の後部座席にこのバッグがあって…その中に値札が付いたままのブランド物の腕時計がぎっしり詰められていたんでね…」

「だが、問屋さんが商品を店に運ぶ途中だったとも考えられるだろ？」

「だとしたら傷が付かないようにビニール袋か箱に入れるはず…」

そう言って、赤井は砂浜の上に置かれたバッグを見やった。バッグの中には、むき出しの腕時計がぎっしりと詰まっている。

「こんな無造作にバッグに詰めるのは…奪って逃げる事に頭が一杯だった強盗ぐらいですよ…。それで？　その2人組の強盗の顔は目撃されていないんですか？」

「ああ…2人共目出し帽を被っていたんでね…。声で1人は男とわかっているが、もう1人は男か女かもわかってないよ…」

刑事の説明を聞き、赤井は「なるほど…」とうなずいた。

おそらく、遺体で見つかった男は、時計店に入った強盗のうちの一人だったのだろう。

そしてもう一人は、助手席から脱出して、今もすぐ近くに潜んでいるはずだ。

その時、新一が赤井のもとへと走ってきた。秀吉も一緒だ。

「ピエロのお兄さん！　連れて来たよ！　車が海に落ちた後、買い物したお客さん！」

新一が指さした先には、三人の男女が立っている。三人とも水着を着ており、一見するとごく普通の海水浴客だ。

「間違いないんだよね？」

新一に念を押され、秀吉は「ああ…」とうなずいた。

「小太りのこのオジさんはTシャツと海パン…。このお姉さんは…ビーチサンダル…。このヒョロッとしたお兄さんは、アロハシャツを買ってたよ！」

三人を順番に指さしながら秀吉が説明すると、最後に指をさされた細身の男が、

「だからそれが何だって言うんだよ？」

と、困惑した様子で秀吉をにらんだ。三人とも事情を聞かされないまま、ここまで連れてこられたらしい。

「どうやら海に沈んだ車を運転していたこの男には…連れがいたようなんでね…」

刑事は三人に遺体を見せると、順番にぐるりと顔を眺めた。

「まあ1人ずつ…話を聞かせてもらおうか…」

一人目の容疑者は福水繁克。三十二歳。秀吉いわく『小太りのオジさん』で、事故の後に海の家でＴシャツと海パンを買ったらしい。『海』と書かれた黒いＴシャツを着て、手には濡れた服を持っている。

「わ、私は福水繁克という者で…彼女と２人でここへ来たんですが…ゴムボートの上で急に彼女に結婚話を切り出されて…『まだ早いよ』なんて煮え切らない態度を取ったら…怒った彼女に突き飛ばされて海に落ち…ズブ濡れに…」

手に持っていた服が濡れてしまったのは、海に落とされたためだったらしい。恋人と喧嘩して突き飛ばされるとは、なかなかの災難だ。

福水はうんざりした口調で続けた。

「そしてボートに戻ったら彼女の姿はなく…私の財布だけが置いてあったから…グッショリ濡れた服を脱いで…とりあえずＴシャツと海パンを買ったってわけです…」

「その彼女は今どこに？」

「かなり怒っていたので、先に車で帰ったんじゃないでしょうか…。彼女の車ですし…」

刑事の後ろで事情聴取に立ち会っていた赤井が、「そのゴムボートは？」と聞いた。

「さあ…持って帰るのも面倒で、放置してたから…」

なげやりに答えて、福水は沖の方に視線を投げた。

「海に流されてしまったかも…」


二人目の容疑者は北森靖絵だ。パーマがかったボブヘアに濃いめの化粧をした派手な外見の女性で、年は二十七歳。秀吉によれば海の家でビーチサンダルを買ったという。ビキニの上から袖をまくったTシャツを着て裾を結び、腰には派手な柄のパレオを巻いている。

「北森靖絵が私の名前…ここへは1人で男漁りに来たんだけど…めぼしい男がいなくってさー…。おまけにビーサンの鼻緒が切れたから…新しく買い直して帰るトコだったのよ！十分海で泳いだしね…」

「その鼻緒が切れたビーチサンダルはどこに？」

「そんなのどっかに捨てちゃったわよ！」

心外そうに言い返した北森だったが、赤井の顔を見ると、「——って…あらいい男♡」と頬を赤らめた。海に男漁りに来たというだけあって、イケメンには目がないらしい。

「しかしそんな格好でここまでどうやって来たんだね？」

刑事に聞かれ、北森は手に持っていた二つ折りの財布を見せた。

「財布片手にタクシーで…泳ぐ時は財布をロッカーに入れとけばいいし、必要な物は現地で買えばいい…。荷物が少ない方が…見つけたいい男の所にしけこみ易いしね…」

そう言って、北森は熱い視線を赤井に送った。


三人目の容疑者は大網頼哉、二十六歳。日焼けして髪を金色に染めた、チャラそうな細身の青年だ。アロハシャツを買うところを、秀吉に目撃されている。

買い物をした理由を聞かれ、大網は「置き引きっスよ！」と喚いた。

「ひと泳ぎしてシャワー浴びてたら…俺のバッグを丸ごともって行かれちゃったんスよ！

だからよー、海パンしか穿いてなくて…仕方なく海の家で３０００円もするこのアロハを買ったんスよ！」

確かに大網は、ビキニタイプの海パンにアロハを羽織っているだけで、服やそのほかの持ち物などは持っていないようだ。

「財布は盗られなかったのか？」

刑事が疑わしそうに聞く。

「ああ…一応シャワーを浴びる時…バスタオルの間に財布を挟んでたから…」

「で？　大網さん…ここへは何しに？」

「ナンパっスよ、ナンパ！」

刑事に聞かれ、大網はだらしなく口もとをゆるめた。

「じゃあ、その両腕に付けた腕時計も…ナンパの小道具か？」

赤井が両腕の腕時計にめざとく気がついて聞く。大網は「ああ…」と得意げに、文字盤を掲げてみせた。

「日本時間とニューヨークタイム！　オシャレっしょ？」

そのころ、有希子は夫の工藤優作に電話をかけていた。

優作は世界的に有名な推理小説家。締め切りが近いため、ビーチには行かず、近くのホテルの部屋にこもって執筆作業に明け暮れていたのだ。

「おいおい有希子…夕飯まで執筆中だから、電話するなって言っただろ？　のんびり海水浴を楽しんでなさいよ…」

苦笑いで電話を取った優作は、有希子から事情を聞いて「え？」と顔色を変えた。

「海水浴場に…車が落ちて、運転してた男が亡くなった？」

『どうやらその男…強盗犯だったらしくて、車に同乗してた仲間は水没した車から脱出して…海水浴客に紛れ込んでるみたいなのよ！　容疑者3人の写真を送るから犯人教えてくれる？　私、気になっちゃって…』

有希子はそう言うと、優作の携帯電話に画像を送信した。

（気になるったって…写真だけじゃ…）

いくら優作が推理小説家でも、画像だけで強盗犯を特定できるはずがない。事情聴取に立ち会ってすらいないのだ。あきれつつも一応受信した画像を確認して、優作は（ん？）と、あることに気がついた。

（なるほど…）

強盗犯の仲間を確信し、優作は微笑した。


真純は駐車場で、赤井に言われたことを守ろうと一生懸命だった。

「だから～～っ、ズブ濡れの人や水着着たままの人はここから出しちゃいけないんだってばーー！」

駐車場のスタッフに、必死に頼み込む。しかし、海水浴客はたいてい水着を着ているし、ズブ濡れの人も珍しくない。いつまでも留めておけるはずはなく、真純が訴えている間にも、水着を着た男女のカップルが駐車場の外へ出ていこうとしていた。

「あ～っ！　また出てっちゃうよ～～!?」

大騒ぎしているところを、とうとうメアリーに見つかってしまい、「真純！　もう止めなさい！」と、怒られてしまった。

「ママ！」

メアリーの後ろには、赤井と秀吉、そして新一の姿もある。

真純がこんなことをしているのは、赤井に言われたからだ。メアリーは、赤井をきつくにらみつけた。

「貴方もわかってるでしょ？　私達が事件にかかわっちゃいけない人間だって事…」

赤井はしれっとした表情で「問題はないさ…」と答えた。

「Case Closed!（真相は見えた！）

後は、犯人を名指しするだけだから…」

（ケース…クローズド？）

新一と真純は驚いて、赤井の方を見た。

短い事情聴取に立ち会っただけで、赤井は犯人を特定してしまったのだ。

有希子は、優作が早くも犯人の目星をつけたことに驚いていた。

「え？　ウソ…犯人わかっちゃったの？　まだ容疑者3人の写真しか送ってないのに…」

『おいおい…それを聞く為に私に電話したんだろ？』

優作が電話の向こうであきれたように笑う。

「と、とりあえず写真送ってから、その3人の詳しい情報を教えようと思ったんだけど…」

『じゃあ一応その情報も教えてもらおうか…』

優作に言われ、有希子は事件について説明した。

「海水浴場の海に車が転落して、運転してた男は亡くなったけど…その車に同乗してた連れは水没した車から脱出して…海水浴客に紛れ込んでるって所までは、話したわよね？」

『ああ…どうやらその男は強盗犯って事もね…』

受話器の向こうからは、マウスをクリックする音が聞こえてくる。どうやら優作は、電話をしながらＰＣでネットニュースを確認しているらしい。

『その事件のニュースはさっきネットにアップされていたよ…。この近くの時計店が２人組の強盗に襲われ…犯人はまだ逃亡中だと…』

「…でね、海水浴客に成り済ます為に何か買ったんじゃないかって事になって…。車が海に落ちた後、海の家で買い物をした３人が容疑者なんだけど…」

有希子はすぐ近くにいる三人の容疑者たちに視線を向けた。

「小太りの男は、彼女にボートから海に落とされてズブ濡れになり…Ｔシャツと海パンを買い…、１人で男漁りに来た若い女は、ビーチサンダルの鼻緒が切れたから…新しいヤツに買い換え…、同じく１人でナンパしに来たチャラい男は置き引きに服を盗られて…３０００円のアロハを買ったそうよ…」

『なるほど…やっぱりそうか…』

「え？　やっぱりって？」

『犯人は恐らくビーチサンダルを買った…』

優作の声に重なるようにして、有希子の背後から「ビーチサンダルを買ったと言っている…」と声が聞こえてきた。

驚いて振り返ると、赤井が事件の関係者を集めて自分の推理を披露しているところだ。

「北森靖絵さん…海に落ちた車に乗っていたのは、あんたですよね？」

赤井に名指しされ、北森がびくりと体をこわばらせる。赤井と優作は同時に、同じ真相にたどりついていたのだ。有希子は「え？　ウソ…」と仰天した。

『ん？　そんなに意外か？』

と、電話の向こうの優作が不思議そうにする。

「あ、いや…浜辺にいた若い男があなたと同じ事言ってて…」

「ちょ、ちょっと待ってよ！　何でビーサン買っただけでそうなっちゃうわけ？」

北森は血相を変えて、赤井に詰め寄った。

「私のこの格好見てみなさいよ！　どっからどー見ても海水浴客でしょーが!!」

「確かにそうだ…あんたが付けているソレが…本当に水着ならね…」

赤井に言われ、北森がハッとして凍りつく。

「み、水着じゃないのかね？」

と、刑事がためらいながらもまじまじと北森の体を見た。

「ええ多分…。水没した車から脱出した時はズボンかスカートを穿いていたが…水面から顔を出したらそこは、海水浴場…。そのまま海から上がれば車の同乗者だとバレてしまう…。だから穿いていたズボンかスカートを海中で脱いで、首に巻いていたスカーフをパレオのように腰に巻き…Tシャツのスソを絞って海水浴客を装ったんですよ…」

北森が着ていたTシャツは水に濡れ、身体に張り付いている。うっすらと透けているのはビキニタイプの水着のように見えたが、実はただの下着だったのだ。

「でもさー、他の男2人がそうだったかもしれないじゃん！」

反論したのは、新一だった。

「海の家で服、買ってるし…。女の人はビーサンしか買ってないしさー…」

「いや、正確に言えば、ビーチサンダルしか買えなかったんだ…」

赤井は強気の笑みのまま、新一の方を振り返った。

「財布が海水につかりお札が濡れてしまい…小銭しか使えなかっただろうからな…」

新一はハッとした。確かに、車ごと海の中に突っ込んだのなら、財布の中まで濡れているのが当たり前だ。

「だからぐっしょり濡れた靴も脱いで、1コインで買えるビーチサンダルを買った彼女が…犯人だと思ったわけさ…。見ての通り、波打ち際でないかぎり…この砂浜は熱くて素足では歩けないからね…」

赤井の言うように、砂浜は太陽に照らされてかなり熱くなっており、裸足で歩いている海水浴客は一人もいない。

「まぁ、濡れた札を強引に使う手もあるが、そんな客、海の家の店員に覚えられてしまうし…海の家でクレジットカードが使えるとも思えないし…」

「し、しかし女性なら濡れてもいいサンダルを元々履いてたって場合も…」

刑事がおずおずと疑問を口にするが赤井は揺るがず、「忘れたんですか？」と挑戦的に聞き返した。

「車に乗っていたのは強盗犯なんですよ？　しかも強盗事件が起きたのは車が海に落ちる少し前で現在逃亡中だったなら…わざわざ走りにくいサンダルに履き替えるとは考えにくい…ですよね？　北森さん…。どうせ偽名でしょうけど…」

「……」

赤井の推理に追い詰められ、北森は沈黙した。


赤井が推理を続けている間も、有希子は優作と通話を続けていた。

優作は赤井の推理ショーの内容を有希子からほぼ実況で聞かされて、「ホー──…」と感心した。

「浜辺にいたその若い男が、私が君に言った推理通りの事を話しているのか…なかなか興味深い…」

『そうなのよ！　まるでシャーロックホームズみたいに！』

有希子の口調は、やけにハイテンションだ。

『サングラス越しでよく見えないけど、かなりのイケメンみたいでさー♡』

はしゃいで言う有希子に、優作は夫として「おいおい…」と軽く突っ込みを入れた。

『あ──っ、そんな事より何でわかったの？』

有希子が急に何かを思い出して大声を出した。話題の急転換についていけず、優作が「ん？」と聞き返す。

『ホラ、私が送った３人の写真見ただけで、犯人がわかったって言ってたじゃない！』

「腕時計だよ！」

優作は軽やかに答えた。

有希子が送ってきた容疑者たちの写真には、顔や服装だけでなく腕時計までしっかりと写っていた。だから優作はその場にいなかったにもかかわらず、強盗犯を見抜くことができたのだ。

しかし有希子には優作の言う意味がわからず、『腕時計？』と聞き返した。

『そーいえば３人共してたけど…』

「小太りの男の時計は１時45分…若い男の時計は２時丁度を指しているのに対し……。女性の時計は10時10分を指していたじゃないか…。あれはついさっき店から強奪された腕時計だよ…」

ますます意味がわからず、有希子は『はぁ？』と眉をひそめた。

『女の時計だけ壊れて止まってるんじゃないの？』


優作と電話を続ける有希子の背後で、新一が北森をきっとにらみつけた。

「まあ、お姉さんが強盗犯だってのはボクにもわかるよ！　お店から盗んだ時計付けてるしね！」

赤井に強盗犯だと見抜かれたばかりか、時計が盗品であることまで少年に言い当てられ、北森はギクリと体をこわばらせた。

「な、何言ってるの？　このガキ!!」

「だってその時計、お店に売ってるまんまだもん！」

「あ、当たり前じゃない!!　お店で買ったんだから！」

威勢よく言い返す北森に、新一はすかさず「でも10時10分で止まってるよね？」と指摘した。

「あ、だからこれは…海につかって壊れたみたいで…」

北森がしどろもどろに言い訳をする。

「知らないの？　お店に並んでる時計って大体…作った会社の名前がきれいに見えるように…10時10分ぐらいで針が止まってるんだよ？」

北森は息をのんで固まった。

「ホント？　新一…」

蘭に聞かれ、新一は「ああ！」と自信満々にうなずいた。

「父さんにデパートの時計売場で聞いたから…」

新一の博識ぶりに、真純は「へ――…」と感心しているようだ。

「ブランド物ならシリアル番号が入っているはず…それを調べれば強盗にあった時計かどうかわかると思いますが…」

赤井が北森の前に進み出て言った。

北森は時計に視線を落とし、観念した表情で「なるほどね…」とつぶやいた。

「だからあの男にバレたってワケか…」

赤井の推理通り、北森は強盗犯だった。死んだ男とともに、近くの店から高級時計を大量に奪ったのだ。店から逃げる車の中で北森も男も、有頂天だった。

「うまくいったわね！」

「ああチョロイもんだ！」

「時計、さばいたら南の島にでも行く？」

ウキウキしながら助手席の北森が髪をかき上げると、運転席でハンドルを握っていた男が急に真顔になった。

「おい…くすねてんじゃねーよ…その腕時計、後ろのバッグに戻せ…」

北森は盗品の腕時計を、さっそく身に着けていたのだ。

「何言ってんの？　これは、この前買った…」

北森はごまかそうとしたが、男は強引に時計を奪おうと運転席から腕を伸ばしてきた。

「な、何すんのよ!?」

「盗品は足が付く！　戻せ!!」

男は語気を強め、北森から腕時計を取り上げようと必死で、ろくに前を見ていない。

「戻せっつってんだよ!!」

「ちょ…ちょっと前!!」

男がハッとして視線を前に戻した時には、ガードレールはすぐ目前に迫っていた。


「そして、ガードレールを破って車ごと海に真っ逆様…まさに転落人生とはこの事ね…」

自嘲気味に言い、北森は刑事によって連行されていった。

去っていく二人を無表情に見送っていた赤井に、メアリーが「秀一！」と声をかける。

「もう気が済んだでしょ？　帰るわよ！」

「ああ…」

赤井はメアリーと秀吉、真純ら家族たちと共に、ホテルへと向かった。

しばらく歩いたところで、メアリーは「それで？」と赤井に切り出した。

「気は変わったの？　ＦＢＩに入るとか言ってたけど…」

「いや…ますますその気は強まったよ…」

どうやら赤井の決意は固いようだ。母親の忠告を聞き入れる気などまったくないらしい。

メアリーは、赤井をじろりとにらみつけた。

「まさか海水浴客に紛れ込んだ強盗犯を見抜いたぐらいで、いい気になってんじゃないでしょうね？」

「いい気になってないと言えばウソになるが…謎を解く快感なら十分に味わったよ…。うまくすれば父を消した奴らに辿り着けるんじゃないかってね…」

「怖いよ、兄さん…」

後ろを歩いていた秀吉が、暗い表情でつぶやく。

「まるで何かに取り憑かれてるみたいだ…」

「取り憑かれているんじゃない…冒されているんだ…」

ゆっくりと言うと、赤井は不敵な笑みを浮かべて続けた。

「好奇心という名の…熱病にな…」

(務武さん…)

メアリーは驚いて、息をのんだ。どこか楽しげですらある赤井の表情が、夫の赤井務武と重なったのだ。

(やっぱりこの子は…主人の息子なのね…)

メアリーは、務武と秀一のつながりを改めて感じ、気持ちを切り替えた。

「秀一…貴方を日本に戻して秀吉や真純の父親代わりになってもらおうと思ってたけど…それはもうあきらめたわ…」

静かに言うと、メアリーは力強く赤井を見つめ、「行け秀一！」と口調を変えた。

「その熱病で、お前の命が尽きるまで…真実を覆い隠す霧を一掃しろ!!　その代わり靄一つ残したら許さんぞ!!」

秀一は突然態度を変えた母親には何も言わず、「ああ、元よりそのつもりだ…」と、うなずいた。

「どうしたの母さん？　口調がまるでお父さんみたいだよ？」

「今日から私が父親代わりという事だ…」

秀吉に心配そうに聞かれ、メアリーはきっぱりと答えた。

新一が声をかけてきたのは、その時だ。

「あ、あのさ…」

「ん？」

赤井が足を止める。

新一はじっと赤井の方を見上げ、離れたところに立つ刑事を指さした。

「刑事さんが呼んでるよ！　事件の事、もう一度警察署で聞きたいんだって！」

赤井はしゃがみこみ、新一と目線を合わせて、ぽんと頭に手を置いた。

「それは君に任せるよ！　時計の真相を見抜いたのは君だし…」

「そ、そうだけど…」

犯人を名指しで特定したのは赤井だ。

自信なさそうに表情を曇らせる新一に、赤井はゆっくりと語りかけた。

「なんたって君は…我が国が誇る名探偵の…弟子なんだからな…」

新一は顔を赤くして、一瞬ボーッとなった。赤井は強盗犯を即座に特定してしまうほどの推理力を持っている。そんな男に認められて、うれしかったのだ。

しかし、「我が国が誇る」とは、どういう意味だろう。

「わ、我が国って…お兄さんイギリス人なの？」

新一が聞くと、赤井は「ああ…」とうなずいた。

「今はアメリカ人だが…。それよりこの事件…探偵の修行にはなったのかな？」

「うん！」

新一は誇らしげにうなずいた。

二人の会話を聞いていた秀吉が、

「兄さん、まるでホームズみたいだったからね…」

と、声を掛ける。すると、新一はバッと顔を上げた。

「ち、違うよ！　ホームズはもっともっと超スゲーんだぞ!!」

力いっぱいそう言うと、ふいに視線をそらし、

「で、でもまぁ…ワトソンぐらいにはしといてやるよ…」

と、照れくさそうに付け加える。

それを聞いた赤井は、「フ…」と短い笑い声をもらし、次の瞬間、大声で笑い出した。

「ハッハハッ!!　Dr.ワトソンか！　そいつはいい!!」

(ま、また笑った!!)

赤井の笑顔を見て、真純は衝撃を受けていた。自分がいくら頑張っても赤井を笑わせることなどまったくできなかったのに、新一は赤井を大声で笑わせてばかりだ。

「じゃあな…ホームズの弟子君…」

別れ際、赤井は新一の頭を優しく撫でた。赤井はどうやら、新一のことをかなり気に入ったようだ。事件の捜査の手伝いだって、妹を差し置いて真っ先に頼んでいたし――。

「ね、ねえ君…」

真純は新一に声をかけた。

「ん？」

と振り向いた新一に、ぐっと顔を近づけて、真純は満面の笑みで言った。

「まるで魔法使いだね♡」

And the mystery will go on...

Shogakukan Junior Bunko

★小学館ジュニア文庫★

名探偵コナン
赤井一家(ファミリー)セレクション　緋色の推理記録(コレクション)

2020年 4 月 1 日　初版第 1 刷発行

著者／酒井 匙
原作・イラスト／青山剛昌

発行人／野村敦司
編集人／今村愛子
編集／油井 悠

発行所／株式会社　小学館
〒101-8001　東京都千代田区一ツ橋２－３－１
電話／編集　03-3230-5105
販売　03-5281-3555

印刷・製本／中央精版印刷株式会社

デザイン／石沢将人＋ベイブリッジ・スタジオ

Printed in Japan　ISBN 978-4-09-231327-9